How You Can Be Led by the Spirit of God

LEGACY EDITION

Expanded With New Material

Kenneth E. Hagin

How You Can Be Led by the Spirit of God
Legacy Edition
by Kenneth E. Hagin

2009 / Korean by Word of Faith Company, Korea.
Translated and published by permission
Printed in Korea.

어떻게 하나님의 영으로 인도받을 수 있는가?

1판 1쇄 발행일 · 2001년 7월 31일
2판 9쇄 발행일 · 2022년 8월 18일

지은이 케네스 해긴
옮긴이 김진호
발행인 최순애
발행처 믿음의말씀사
2000. 8. 14 등록 제 68호
우) 16934 경기도 용인시 기흥구 신정로 301번길 59
TEL. 031) 8005-5483 FAX. 031) 8005-5485
http://faithbook.kr

ISBN 89-951673-9-4 03230
값 15,000원

어떻게 하나님의 영으로 인도받을 수 있는가?

케네스 해긴 지음 | 김진호 옮김

믿음의말씀사

목차

추천사 | 케네스 W. 해긴

> 무릇 하나님의 영으로 인도함을 받는 사람은 곧 하나님의 아들이라 롬 8:14

요즈음 우리는 많은 음악들과 영상들과 시끄러운 잡음들로 가득찬 매우 바쁜 세상에 살고 있습니다. 이런 모든 소리들은 하나님께로 향한 우리의 주의를 하나님으로부터 멀어지게 하는 것들입니다. 때때로 하나님께만 집중하며 그분의 음성에 순종하는 것은 어려운 일입니다. 하지만 꼭 어렵기만 한 것일까요?

그리스도인들인 우리들은 우리가 대단한 무기를 사용할 수 있다는 것을 기억해야 합니다. 우리 안에는 우리를 인도하시며 안내해주시며 장래의 일들을 알려주시는 친구이자 돕는자가 계십니다. 그분은 바로 전능하신 하나님의 성령님이시며 그분은 우리의 삶 안에서 우리를 승리하는 삶으로 하나님께 영광 드리는 삶을 살도록 인도하십니다.

저희 아버지께서 가르치시기 좋아하는 주제들 중 하나가 성령님에 대해 가르치시는 것이었습니다. 이 책 안에는 저희 아버지의 성령님에 관한 좋은 가르침들이 들어 있습니다. 1978년도에 이 책이 출간된 이래, 이 책은 전 세계에서 수많은 언어로 번역되었고 셀 수 없는 많은 사람들의 삶을 변화시켰습니다. 이 책은 많은 사람들에게 하나님께서 우리를 인도하시며 도우신다는 진리와 성령님의 실재에 대해 눈뜨게 해왔습니다.

저는 여러해를 아버지와 함께 여행하고 일하면서 성령님의 인도를 받는 것의 유익들을 제 눈으로 직접 보았습니다. 텍사스주의 메키니라는 도시에서 온 남자가 성령님의 내적인 인도에 순종하지 않았다면 케네스 해긴 사역과 레마 성경훈련소와 믿음 도서관 출판사는 오늘날 존재하지 않았을 것입니다. 그의 순종은 하나님께서 우리 가족과 이 사역과 세계의 수많은 사람들의 삶을 축복할 수 있도록 허락하였습니다. 그리고 만약에 당신이 성령을 따르는 법을 배운다면 하나님께서 당신을 위해서도 똑같이 하실 것입니다!

이 생애 기념판Legacy Edition은 제 아버지의 삶과 사역에 대한 감사의 표시입니다. 하나님을 따름으로 그는 많은 것을 할 수 있었습니다. 그리고 이 책은 당신을 위한 선물이기도 합니다. 당신이 하나님께로 더 가까이 다가가길 원하는 갈망에 대한 감사의 선물입니다. 이 걸작의 책을 읽으면서 특별히 더해진 내용과 함께 그 가르침에서 배움을 얻고 당신의 심령과 인생을 바꾸도록 허락하십시오. 자신의 힘에 의지하지 말고 그분을 따르기로 선택하십시오. 성령님께서 당신을 인도하시도록 허락하고, 하나님께서 당신 안에서 그리고 당신을 통해서 하실 수 있는 모든 일들을 보십시오!

그분의 사랑 안에서,

Kenneth W. Hagin

케네스 W. 해긴

머리말

1959년 텍사스주 엘파소라는 도시에서 주님이 환상으로 제게 나타나셨습니다. 그분은 저녁 6시 30분에 제 방 안으로 오셨고 제 침대 옆 의자에 앉아 저와 한 시간 반 동안 대화를 나누셨습니다. 책에서 더 자세히 얘기한 내용이지만 여기서 먼저 강조하고 싶은 것이 있습니다.

그분은 선지자의 사역에 관해서 저에게 말씀하셨습니다(엡 4:11-12). 그리고는 이렇게 말씀하셨습니다. "나는 신약의 교회를 인도하기 위해서 선지자들을 교회에 두지 않았다. 내 말씀이 말한다. '무릇 하나님의 영으로 인도함을 받는 사람은 곧 하나님의 아들이라' (롬 8:14). 이제 네가 내 말을 들으면 내가 너에게 어떻게 내 영을 따를 수 있는지 가르쳐줄 것이다. 그런 후에 네가 내 백성에게 성령의 인도를 어떻게 받는지 가르쳐 주길 원한다."

이 주제의 맥을 따라서 많이 가르치지 않고 많은 해들이 지나

가도록 내버려둔 것이 부끄럽습니다. 저는 가끔 이 주제의 끝자락에서 얘기를 나눴지만 성령인도에 관해서 깊이 가르치지는 않았습니다.

그래서 최근에 주님께서 저를 흔들어 깨우셨고 이제 저는 이 주제에 관해서 더 가르치기 시작하고 있습니다. 이 책은 바로 그 흔들어 깨움의 일부입니다.

Kenneth E. Hagin

역자 서문

수많은 새 신자 양육 교재가 있고, 새 신자를 제자로 훈련하는 제자 훈련 교재와 교육과정이 교회마다 학교마다 있습니다. 목회자가 훈련 교재를 선택할 때면 성공적인 대 교회를 이룬 목사님들의 훈련 교재나 대학생 선교 단체 등에서 만든 교재를 고르곤 합니다. 현장에서 실험을 거치고 좋은 제자의 열매도 있는 권위 있는 교재들이 많이 있습니다. 요즘 일고 있는 셀 목회의 바람은, 한 때의 운동이 아니라 말세에 60억 인구를 복음화하기 위해 계시된 "예수님께서 고안하신 교회"임에 틀림없다고 믿어집니다.

그런데 셀 교회의 훈련 교재로 출간된 랄프 네이버의 역작인 터치(TOUCH) 시리즈를 접해 보면서, 원칙은 배우고 적용하되, 역시 사람이나 교회나 교재를 모델로 삼는 데는 문제가 있음을 느끼게 됩니다. 그러므로 아무리 좋은 것도 자신이 섬기는 교회와 자신을 부르신 하나님의 구체적이고 독특한 부르심의 소망에 맞추어야 함을 느끼게 되었습니다.

특히 지난 3월 인도네시아 솔로에 있는 베델 교회를 방문하였는데, 그 교회 담임 목사인 오바자 목사는 한국의 조용기 목사님의 이드로 모델과 싱가폴의 로렌스 콩(랄프 네이버 목사님이 코치로 사역하심) 목사님의 터치 모델과 보고타 ICM 교회의 G-12 모델을 보고 잘 배운 다음, 자기 것으로 소화해서 교재도 자기가 쓰고 교재의 내용을 외우도록 하기 위하여 노래까지 만들어 부르게 하는 것을 보았습니다.

셀 교회는 이 시대에 하나님께서 주신 새로운 가죽 부대임을 깨닫고 하나님께 감사드립니다. 이 셀 교회 운동이 저희 교회는 물론 전체 한국 교회에 잘 정착하여 4천만 한국 사람을 구원하는 새로운 갱신 운동, 부흥 운동이 될 뿐 아니라, 500만 디아스포라 한인들에게도 널리 퍼져 세계 선교를 위해 재무장하는 가죽 부대가 될 것을 기대합니다.

일반적으로 교회는 목회자의 은사와 부르심과 교회의 비전 등에 따라 조금씩 강조하는 바가 다를 수 있다고 생각합니다. 그래서 그 교회 밖에서 선택한 어떤 한 교재만을 가지고 사용하다 보면, 그 교재가 갖고 있는 신학적 색깔, 교단 배경 등에 영향을 받거나 제한 받게 됩니다.

그래서 제가 이번에 번역한 해긴 목사님의 책들은 모듈라 식으로 되어 있어서 성령 세례와 방언 기도의 중요성을 강조하고 싶은 분은 소책자 「방언기도의 능력을 풀어 놓으라」를 교재로 사용하는 것이 효과적입니다. 저희 교회에서는 이 책을 주고 읽어 오도록 한 후 하루 아침이나 저녁 기도 시간에 안수하고 기도하면 대부분 성령 세례를 받게 되는 것을 보았습니다.

또한 거듭난 사람에게는 「새로운 탄생」을 주는 것이 좋습니다. 당신의 영은 하나님의 영으로 새롭게 탄생했으므로 완전한 하나님의 생명인 '조에'(목숨을 뜻하는 '프쉬케'와 대조하여)를 소유하게 되었으며 하나님의 사랑과(롬 5:8) 하나님의 성품을(벧후 1:4) 소유하게 되었다는 사실을 배우게 될 것입니다.

「그리스도 안에서」를 통해서는 그리스도 안에서 내가 누구인가, 나는 무엇을 소유하고 있는가, 나는 무엇을 할 수 있는가를 배울 것입니다. 그리고 그리스도 안에서 주어진 은혜를 고백하면서 믿음의 기초를 튼튼히 하게 될 것입니다.

성령 세례를 받은 성도에게는 이제 성도의 권세의 핵심을 이루는 "믿는 자의 권세"에 대한 계시가 일어나도록 기도하며, 복음은 영혼의 구원 뿐 아니라 육체의 치유를 포함하고 있으므로 '신유'를 가르치고 '부요함의 복'을 가르쳐 선교사로 파송되든가 선교사를 후원하는 사람으로 살 수 있도록 할 수 있습니다.

끝으로 "성령 인도" 받는 것은 하나님을 알고 그 분의 성품을 닮을 뿐 아니라 그 분을 친밀히 앎으로 마침내 예수님처럼 아버지의 온전한 뜻을 좇아서 완전한 승리의 삶을 살 수 있도록 하는 것인데, 이것은 그리스도인이면 누구나 거듭난 순간부터 시작해서 평생 배워야 할 과제입니다.

영 · 혼 · 육의 온전한 축복을 누리고 오늘도 수많은 제자를 가르치며 믿음대로 누리고, 삶의 본을 보이셨던 해긴 목사님의 또 하나의 책이, 이미 나온 다른 책들을 통해 은혜 받은 분들에게 좋은 선물이 될 것을 의심치 않습니다.

김진호 목사

그리스도의 대사들 서울 / 용인교회 담임
예수선교사관학교장

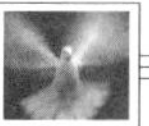

01

주의 등불

무릇 하나님의 영으로 인도함을 받는 사람은 곧 하나님의 아들이라 롬 8:14

성령이 친히 우리의 영과 더불어 우리가 하나님의 자녀인 것을 증언하시나니 롬 8:16

사람의 영혼은 여호와의 등불이라 사람의 깊은 속을 살피느니라 잠 20:27

하나님께서는 당신의 자녀들을 하나님의 영으로 인도하십니다. 잠언 20장 27절의 다른 번역은 "사람의 영은 주님의 등불lamp이다…"라고 되어 있습니다. 만일 이 구절이 오늘날 씌어졌다면 "사람의 영은 주님의 전구the light bulb다"라고 하였을 수도 있습니다.

이 구절은 "하나님은 우리의 영을 통해서 우리를 깨우쳐 알게 하실 것이다enlighten" 즉 하나님은 우리를 안내하실 것을 의미합니다.

그러나 흔히 우리는 하나님이 말씀하신 방법 이외의 다른 방법으로 안내를 받으려고 합니다. 이렇게 할 때 우리는 문제 속으로 빠져 들어가게 됩니다. 하나님은 때때로 우리의 육체적 감각을 따라서 우리를 인도하신다고 판단하지만 성경 어느 곳에서도 하나님은 우리를 육체적 감각을 통해 인도한다고 말한 곳이 없습니다. 우리는 종종 하나님의 인도하심을 정신적인 관점a mental standpoint에서 이성적으로 이해하려고 노력합니다. 그러나 성경은 하나님께서 우리의 정신mentality을 통해서 우리를 안내하겠다고 말하고 있지 않습니다. 성경은 사람의 몸이나 마음이 주의 촛불candle이 아니라, 바로 사람의 영이 주의 촛불이라고 말하고 있습니다.

하나님께서는 우리를 안내하실 것입니다. 하나님은 우리의 영을 통해서 우리를 깨우쳐 알게 하실 것입니다.

하나님께서 우리의 영을 통해 어떻게 안내하는지를 이해하기 전에 사람의 본성nature을 먼저 이해해야 합니다. 사람은 영과 혼a soul을 가지고 있고 몸 안에 살고 있다는 것을 이해해야만 합니다.

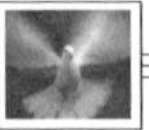

02

사람 : 영원한 영

하나님이 이르시되 우리의 형상을 따라 우리의 모양대로 우리가 사람을 만들고 그들로 바다의 물고기와 하늘의 새와 가축과 온 땅과 땅에 기는 모든 것을 다스리게 하자 하시고 하나님이 자기 형상 곧 하나님의 형상대로 사람을 창조하시되 남자와 여자를 창조하시고 창 1:26-27

사람은 영적 존재a spirit being이며 하나님과 같이 만들어졌습니다. 예수님께서 하나님은 영이라고 말씀하셨습니다(요 4:24). 그러므로 사람은 영임에 틀림없습니다.

사람은 영이며 혼을 가지고 있고 육체적 몸 안에 살고 있는 것입니다(살전 5:23). 사람의 몸이 죽어서 무덤에 있을 때에도 그 영은 살아있는 것입니다. 사람의 영은 영원한 것이며 결코 죽을 수 없습니다. 바울은 육체의 죽음을 이렇게 말하고 있습니다.

> 내가 그 둘 사이에 끼었으니 차라리 세상을 떠나서 그리스도와 함께 있는 것이 훨씬 더 좋은 일이라 그렇게 하고 싶으나 내가 육신으로 있는 것이 너희를 위하여 더 유익하리라 빌 1:23-24

바울은 살게 될 것입니다. 그의 몸 안에서나 몸 밖에서나 아직도 살아있을 것입니다. 그가 살아서 육신 안에 살고 있다면 그는 빌립보에 있는 교회를 가르칠 수 있을 것이고 그들에게 축복이 되었을 것입니다. 빌립보 성도들에게도 이것이 더 필요하겠지만 바울은 이들을 떠나서 그리스도와 함께 있는 것이 훨씬 더 나을 것이라고 말합니다. 바울은 "나는 몸 안에 살게 되든지 떠나서 그리스도와 함께 살든지 하게 될 것입니다"라고 말합니다.

누가 떠난다는 말입니까? 바울은 자기 몸에 관하여 말하고 있는 것이 아닙니다. 그의 몸은 떠나지 않을 것입니다. 바울은 속사람the inward man 즉 그의 몸 안에 살고 있는 영의 사람the spirit man에 관하여 말하고 있는 것입니다.

사람들은 "천국에서 우리가 서로를 알아볼 수 있을까요?"하고 묻습니다. 그러면 나는 항상 이렇게 묻습니다.

"여기에서는 서로 알아보십니까?"

당신은 바로 거기에 있게 될 그 사람입니다. 당신이 여기서 서로를 알아본다면 천국에서도 서로 알아볼 것입니다.

"나는 떠나려고 합니다"라고 바울은 말하고 있습니다.

그리고 "그리스도와 함께 있는 것이 훨씬 더 낫다"고 합니다. 너무나 좋은 말입니다! 만일 바울이 더 낫다고만 말했어도 그것은 좋은 것임에 틀림없을 텐데 그는 "훨씬 더 낫다!"라고 말했습니다.

어떤 거짓 유사 종교인들은 사람이 죽으면 개가 죽을 때와 똑같은 상태로 변한다고 가르칩니다. 결코 그렇지 않습니다. 사람은 몸만 가지고 있는 것이 아닙니다. 어떤 사람들은 또 사람이 죽으면 '혼이 잠자는 상태soul sleep'에 있게 된다고 말합니다. 그러나 성경은 그렇게 가르치고 있지 않습니다. 어떤 사람들은 그 영이 떠나는 것은 맞지만 그 영이 암소나 개나 혹은 다른 것으로 태어나 되돌아온다고 말합니다. 환생설reincarnation은 성경적이 아니며 하나님의 말씀과 다릅니다. 하나님의 말씀이 이런 모든 당신의 문제를 해결해 줄 것입니다. 바울은 "나는 떠나려고 합니다. 나는 주님과 함께 있으려고 하는데 그것이 훨씬 더 좋습니다"라고 말했습니다.

바울은 모든 교회들에게 똑같은 진리를 설교하고 똑같은 사실을 가르쳤습니다. 고린도에 있는 교회에게 똑같은 복된 진리를 다른 말을 사용하여 가르치고 있음을 보십시오:

> 그러므로 우리가 낙심하지 아니하노니 우리의 겉사람은 낡아지나 우리의 속사람은 날로 새로워지도다 고후 4:16

속사람이 존재하며 겉사람도 존재합니다. 겉사람outward man은 참된 당신real you 즉 실제의 당신이 아닙니다. 겉사람은 당신이 살고 있는 집에 불과합니다. 속사람the inward man이 실제 당신입니다.

속사람은 결코 늙지 않습니다. 속사람은 매일 새로워집니다. 속사람은 영의 사람a spirit man입니다. 우리의 영이 무엇입니까?

로마서 8장 14절은 "무릇 하나님의 영으로 인도함을 받는 사람은 곧 하나님의 아들이라"고 했습니다. 이어서 16절은 하나님의 영이 어떻게 우리를 인도하시는지에 대해 조금 더 통찰력을 주고 있습니다.

> 성령이 친히 우리의 영과 더불어 우리가 하나님의 자녀인 것을 증언하시나니 롬 8:16

다시 말하면 하나님의 성령이 사람의 영과 더불어 증언한다bear witness with는 것입니다.

잠언 20장 27절은 "사람의 영은 주님의 촛불the candle of the Lord이라"고 말하고 있습니다. 이 구절들에 의하면 하나님께서는 우리의 영을 통하여 우리를 안내하신다고 말씀하십니다. 그러므로 우리는 우리의 영이 무엇인지를 알아야만 합니다.

예수께서는 니고데모에게 "진실로 진실로 네게 이르노니 사람이 거듭나지 아니하면 하나님의 나라를 볼 수 없느니라"(요 3:3)고 말씀 하셨습니다. 니고데모는 자연인으로서 이런 생각밖에 할 수 없었습니다. 그래서 그는 이렇게 말했습니다.

> 사람이 늙으면 어떻게 날 수 있사옵나이까 두 번째 모태에 들어갔다가 날 수 있사옵나이까 요 3:4

예수께서는 육체적 출생에 관하여 말씀하고 계신 것이 아니었습니다. 예수님은 "육으로 난 것은 육이요 영으로 난 것은 영이니"(요 3:6)라고 말씀하셨습니다. 즉 영적인 출생에 관하여 말씀하고 계셨습니다.

이것은 하나님의 생명, 하나님의 본성nature을 받아들이는 것입니다. 그리스도 안에서 새로운 피조물로 만들어지는 것은 육이 아니라 영입니다. 바울은 사람의 영을 "사람의 마음에 숨은 사람the hidden man of the heart"이라고 부르고 있습니다.

> 오직 마음에 숨은 사람을 온유하고 안정한 심령의 썩지 아니할 것으로 하라 이는 하나님 앞에 값진 것이니라 벧전 3:4

신약 성경에 마음the heart이라고 표현된 것들은 사실 영을 말하고 있는 것입니다. 이것이 바로 참 사람the real man인 것입니다. 신약 성경에서 마음heart이란 단어가 사용된 곳마다 영spirit이란 단어를 대체해 보면 좀더 분명한 개념a clearer picture을 갖게 될 것입니다. 다시 태어나는 것born again은 사람의 영입니다.

> 그런즉 누구든지 그리스도 안에 있으면 새로운 피조물이라 이전 것은 지나갔으니 보라 새 것이 되었도다 고후 5:17

이 말씀은 속사람에 관하여 말하고 있습니다. 이것은 당신의 겉사람에 대하여 말하고 있는 것이 아닙니다. 당신은 거듭날 때 새로운 피조물이 됩니다. 새 몸을 얻는 것이 아닙니다. 겉사람은 이전과 똑같습니다. 당신이 거듭나기 전에 대머리였다면 거듭난 후에도 여전히 대머리일 것입니다. 거듭나기 전에 갈색 눈동자를 가지고 있었다면 여전히 갈색 눈동자를 가지고 있을 것입니다. 겉사람은 변화되지 않습니다. 하나님은 겉사람에 대해서는 아무 일도 하지 않으십니다(당신의 겉사람에게 무엇인가 해야 할 사람은 바로 당신입니다. 당신이 하나님께서 당신의 겉사람에게 원하시는 것을 성경에서 발견해서 그것을 당신 자신이 해야 합니다).

하나님은 속사람에게 무엇인가를 행하십니다. 하나님은 그 사람의 내부the inside를 그리스도 안에서 새 사람a new man in Christ 즉 새로운 피조물a new creature, 새로운 창소a new creation로 만드십니다.

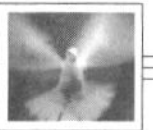

03

영을 의식함

평강의 하나님이 친히 너희로 온전히 거룩하게 하시고 또 너희의 온 영과 혼과 몸이 우리 주 예수 그리스도께서 강림하실 때에 흠 없게 보전되기를 원하노라 살전 5:23

이 성경 말씀에서 바울은 사람의 내부the inside, 즉 사람의 가장 깊은 부분이며 존재의 중심the heart of his being인 그의 영에서 시작해서 외부the inside로 나오고 있습니다.

그러나 대부분의 사람들은 이 구절을 잘못 인용하고 있습니다. 그들은 몸, 혼, 영이라고 말합니다. 왜 사람들이 몸을 먼저 꼽을까요? 사람들은 영을 의식하는 것spirit-conscious 보다 몸을 더 의식body-conscious하고 있기 때문입니다. 그들에게는 영적인 것보다 자연적인 것이nature things 더 의미가 있습니다. 그래서 그들은 물질적인 것을 우선적으로 다룹니다.

그렇지만 인간은 정신적인 영역에 살고 있기 때문에 때때로 정신을 더 의식하기도 합니다mental conscious. 사람은 영적인 존재이므로 우리는 영을 의식할be spirit-conscious 필요가 있습니다. 영을 의식하면 할수록 영적인 것들이 더욱 실제적이 될 것입니다.

하나님의 영으로 인도 받으려면 우리는 좀 더 영을 의식해야만 합니다. 그렇지 않으면 모든 것을 놓치게 될 것입니다. 하나님의 성령은 우리의 영을 통해 우리를 인도하십니다. 영을 먼저 앞세우십시오put spirit first. 영을 더 의식히고 속사람을 디 의식하십시오. 당신은 영적 존재며 그리스도 예수 안에서 하나님에 의해 새롭게 창조되었음을 깨달으십시오. 이렇게 될 때 당신은 영적으로 성장하게 될 것입니다.

수년 전에 나는 이렇게 생각하기 시작했습니다. 그리고 나 자신에게 큰 소리로 말했습니다.

"나는 영적인 존재다. 나는 혼soul을 소유하고 있다. 그리고 나는 몸 안에 살고 있다." 이렇게 스스로에게 말하는 것은 내가 영을 의식하는데 좀 더 도움이 되었으며, 믿음도 자라도록 도와주었습니다. 왜냐하면 믿음은 영 혹은 심령the heart에 속한 것이기 때문입니다faith is of the spirit, or the heart.

04

영과 혼의 차이는 무엇인가?

하나님의 말씀은 살아있고 활력이 있어 좌우에 날선 어떤 검보다도 예리하여 혼과 영과 및 관절과 골수를 찔러 쪼개기까지 하며 또 마음의 생각과 뜻을 판단하나니 히 4:12

영과 혼은 똑같은 것이 아닙니다.

오래 전 50년대 초에 나는 이 주제에 관하여 깊이 연구했었습니다. 나는 인간이란 주제에 관하여 좀 더 알아보기 위하여 오순절과 가정교단의 대표적 성경학교와 신학대학원으로부터 책을 구했으나 어떤 책도 나를 만족시키지 못했고 성경적이지 않았습니다. 그 책들은 "부분적"으로만 성경적일 뿐이었습니다.

나는 전국의 유명한 신학자와 목사들에게 질문해 보았습니다. 지금 그 이름을 언급한다면 그 중 몇 사람은 여러분도 알 것입니다. 심지어 어떤 사람이 어느 유명한 목사님에게 "영과 혼의 차이가 무엇입니까?"라고 묻자 그 목사님은 잠깐 놀라면서 "나는 영과 혼이 같은 것이라고 생각하는데요"라고 답한 것을 들은 적도 있습니다. 내가 질문했던 대부분의 목사님들은 같은 답을 하였습니다.

그렇다면 어떻게 둘이 똑같은 것이란 말입니까?

바울은 영과 혼은 하나님의 말씀으로 나누어질 수 있다고(쪼개기까지 하며) 말했습니다(히 4:12). 만일 당신이 무엇을 나눌 수 있다면 그것은 똑같은 것이 아닙니다. 그러나 오직 하나님의 말씀만이 영과 혼을 나눌 수 있습니다. 우리가 영과 혼을 구별하지 못했던 이유는 말씀을 깊이 파고 들어가지 않았기 때문입니다.

옛날 미국의 서부 지역에는 골드러쉬gold rush라고 부르던 시절이 있었습니다. 많은 사람들이 서부로 다투어 달려갔습니다. 그들은 하루 빨리 부자가 되고 싶었습니다. 대부분 강에서 약간의 사금을 건져내기도 하고 어떤 사람들은 땅에 숨겨져 있는 큰 금 덩어리를 찾아내기도 했습니다.

그러나 당신이 정말로 큰 부자가 되기를 원한다면 굴을 깊이 파고 들어가야만 합니다. 영적인 것에서도 이것은 진리입니다.

당신은 성경의 겉만을 조금씩 훑어 볼 수도 있고 여기 저기서 조금씩 작은 금싸라기를 걸러 낼 수도 있고 어쩌다가 금덩어리도 발견할 수 있습니다. 그렇지만 정말 큰 부자가 되려면 하나님의 말씀을 깊이 파고 들어가야만 합니다.

나는 15년 동안 밤늦게까지 연구했습니다. 내가 가장 알고 싶어 하는 것이 바로 영과 혼이 어떻게 다른가에 관한 것이었습니다.

나는 이렇게 생각했습니다.

'나의 몸으로는 물질 세계the physical realm를 접촉하고 영으로는 영적 세계spiritual realm를 접촉한다. 이제 나의 남은 부분은 혼뿐이다. 그리고 지적인the intellectual 영역이 남아 있다. 즉 나의 혼을 통해 감성과 지성을 포함하는 지적인 영역을 접촉한다.'

여기 나를 도와주었던 성경구절이 있습니다.

> 내가 만일 방언으로 기도하면 나의 영이 기도하거니와 나의 마음은 열매를 맺지 못하리라 고전 14:14

확대 번역 성경은 "만일 내가 알지 못하는 언어로 기도하면 나의 영(성령으로 말미암아 내 안에서)은 기도하지만 나의 마음은 열매가 없습니다unproductive"라고 했습니다. 우리의 이해, 자연적인 인간 정신은 우리의 혼의 일부입니다.

바울이 말한 것을 주의해 보십시오. "나의 영은 기도하지만 나의 이해는 열매가 없다my understanding is unfruitful"

바울은 "내가 알지 못하는 방언으로 기도할 때 나의 혼이 기도한다"고 하지 않았습니다. 또 "내가 방언으로 기도할 때 내 지성으로out of my intellect 기도하거나 마음으로out of my mind 기도한다"라고도 하지 않았습니다.

사실 바울은 "내가 방언으로 기도할 때 나의 혼으로out of my soul 기도하는 것이 아니라 나의 영으로out of my spirit, 나의 심령my heart, 나의 속 깊은 존재my innermost being로부터 기도한다"고 말했습니다. 당신은 예수께서 말씀하신 것을 기억하십니까?

> 명절 끝날 곧 큰 날에 예수께서 서서 외쳐 이르시되 누구든지 목마르거든 내게로 와서 마시라 나를 믿는 자는 성경에 이름과 같이 그 배에서 생수의 강이 흘러나오리라 하시니 이는 그를 믿는 자의 받을 성령을 가리켜 말씀하신 것이라 (예수께서 아직 영광을 받지 않으셨으므로 성령이 아직 그들에게 계시지 아니하시더라) 요 7:37-39

성령을 받은 결과로써 "그 배에서 생수의 강이 흘러 나오리라"고 예수님은 말씀하셨습니다. 다른 번역은 "가장 깊은 곳the innermost being으로부터 생수의 강들이 흘러나오리라"고 하였습니다.

한 순복음 교회 목사님의 딸이 여섯 살쯤 되었는데 몇몇 친구들과 함께 어느날 밤 부흥회에 참석하였습니다. 이 어린아이들 중 몇 명은 성령으로 충만함을 받고서 다른 방언으로 말하기를 시작했습니다. 그때 이 아이가 배를 움켜쥐고 엄마한테 달려가더니 "엄마 엄마, 방언이 내 배에서 막 나오네요"라고 말했습니다.

그 아이의 말은 성경적이었습니다. 그 아이는 자기의 배로부터 – 그의 영, 그의 가장 깊은 존재the innermost being – 방언을 말하였던 것입니다. 그 곳이 바로 방언이 나오는 곳입니다 – 당신의 영 안에 살고 있는 성령께서 당신의 영에게 말utterance을 주심으로 말하게 되는 것입니다.

이 성경 구절들을 생각해 보시기 바랍니다.

"사람의 영은 주님의 촛불이라 배 속 부분의 모든 것을 살피시며 … 그의 배로부터 생수의 강이 흘러나오리라"

내가 받은 모든 인도the leadings는 나의 영으로부터 나온 것이었습니다. 그리고 대부분은 방언으로 기도하고 있는 중에 온 것이었습니다. 당신은 이제 그 이유를 알 수 있습니다. 당신의 영은 방언으로 기도하고 있을 때 활동 상태is active에 있기 때문입니다.

교회가 전반적으로 비참하게 실패하고 있는 이유 중에 하나는 교회는 오직 한 가지의 기도 – 이해할 수 있는with understanding 기도 혹은 마음의 기도 – 만을 해 왔기 때문입니다. 그리스도인들은 정신적인mental 능력으로 영적인 전투를 하려고 노력을 해 왔습니다.

나는 이것을 오랜 세월을 거쳐서야 배울 수 있었습니다. 인생의 위기를 맞을 때마다 내 안에 있는 나의 영을 바라보는 것을 배웠습니다. 다른 방언으로 기도하는 것을 배웠습니다. 내가 방언으로 기도하는 중에 인도하심이 내 속에서부터 나타났습니다. 왜냐하면 나의 영이 활동 상태에 있기 때문이었습니다. 나의 몸은 활동 상태에 있지 않았고 나의 마음 즉 나의 혼도 활동 상태에 있지 않았지만 나의 영은 활동 상태에 있었고 하나님은 나의 영을 통하여 안내하였습니다.

때때로 나는 내가 방언으로 기도하는 것을 통역할 수 있습니다. 통역을 함으로써 나는 빛과 안내를 받습니다(고전 14:13). 그러나 대부분의 경우 그런 것은 아니고 단지 방언으로 기도만 하고 있는 동안에 내 속 깊은 곳에서 무엇인가가 떠오르는 것을 느낄 수 있습니다. 그리고 그것은 어떤 모양shape과 형태form를 갖추기 시작합니다.

나의 이해력은 이것과 아무 관계가 없기 때문에 정신적으로 mentally 어떻게 이것을 알게 되었는지 설명할 수가 없습니다. 그러나 내 속으로는 무엇을 해야 하는지 알고 있습니다. 나는 이것을 따르며 나의 영에 귀를 기울입니다. 왜냐하면 사람의 영은 주님의 촛불이기 때문입니다.

05
혼의 구원

그러므로 모든 더러운 것과 넘치는 악을 내어버리고 너희 영혼을 능히 구원할 바 마음에 심어진 말씀을 온유함으로 받으라 약 1:21

사람의 영은 거듭난 사람의 거듭난 부분입니다. 이 영이 영생 즉 하나님의 생명과 본성을 받아들인 사람의 부분the part of man입니다. 그리스도 예수 안에서 새로운 피조물이 된 것은 사람의 영입니다. 혼은 가장 깊은 존재가 아닙니다. 거듭난 것은 혼이 아닙니다. 혼의 구원은 하나의 과정입니다.

내가 성령의 충만함을 받기 전 기존 교단의 설교자였을 때 야고보서 1장 21절은 나를 괴롭히곤 했습니다. 그 때 나는 지금 알고 있는 것을 몰랐습니다. 나는 영과 혼을 서로 바꿔서 사용했습니다. 즉, 혼으로서 영을 말하고, 영으로서 혼을 말하곤 했습니다. 그러나 나는 그 때 내가 영적으로 성장해서 그 구절들이 무엇을 말하는지 정확히 알 때까지 남겨 두고 기다릴만한 지혜가 있었습니다.

야고보의 서신은 죄인들에게 쓴 것이 아닙니다. 야고보는 세상을 향하여 편지를 쓴 것이 아니라 교회를 향해서 이 편지를 썼습니다. 우리는 이 사실을 야고보서 5장에서 알 수 있습니다.

"너희 중에 병든 자가 있느냐? 저는 교회의 장로들을 청할 것이요"(14절). 다른 말로 하면 교회 가운데 아픈 사람이 있으면 그 사람은 교회의 장로들을 부르라는 것입니다. 야고보서 1장 18절부터 봅시다.

> 그가 그 피조물 중에 우리로 한 첫 열매가 되게 하시려고 자기의 뜻을 따라 진리의 말씀으로 우리를 낳으셨느니라 내 사랑하는 형제들아 너희가 알지니 사람마다 듣기는 속히 하고 말하기는 더디 하며 성내기도 더디 하라 사람의 성내는 것이 하나님의 의를 이루지 못함이라 그러므로 모든 더러운 것과 넘치는 악을 내버리고 너희 영혼을 능히 구원할 바 마음에 심어진 말씀을 온유함으로 받으라 약 1:18-21

야고보는 거듭난 신자들에게 말하고 있습니다. 우리는 아버지의 뜻을 따라 태어났고 진리의 말씀으로 거듭났다고 말하고 있습니다. 야고보는 그들을 "나의 사랑하는 형제들"이라고 부릅니다. 그들은 그리스도 안에 있었습니다. 그러나 그는 이 거듭난 성령 충만한 사람들에게 심겨진 말씀들을 온유함으로 받으라고 하며 "이 말씀은 너희들의 영혼souls을 구원할 수 있다"라고 말하고 있습니다.

분명히 그들의 혼은 구원받지 않았습니다. 보십시오. 사람의 영, 가장 깊은 곳의 사람, 실제의 사람은 영생을 받아들이고 거듭납니다. 그러나 그의 지성과 감정은 아직 거듭나지 않았고, 이것이 혼을 구성하고 있습니다. 지성과 감정은 새롭게 되어야만renewed 합니다.

바울은 마음을 새롭게 하는 것에 대해 로마에 있는 성도들에게 편지를 통해 이렇게 말하고 있습니다.

> 너희는 이 세대를 본받지 말고 오직 마음을 새롭게 함으로 변화를 받아 하나님의 선하시고 기뻐하시고 온전하신 뜻이 무엇인지 분별하도록 하라 롬 12:2

시편을 쓴 다윗은 혼의 회복을 말하고 있습니다.

내 영혼을 소생시키시고 자기 이름을 위하여 의의 길로 인도하시는도다 시 23:3

구약에서 회복시키다restore라고 번역된 히브리어는 신약에서 그리스어로 똑같은 것을 의미하는 것입니다. 혼the soul 즉 마음the mind은 새롭게 되거나 또는 회복되어져야만 합니다is to be renewed or restored. 나의 어머니는 외조모로부터 물려받은 의자를 내게 남겨주었습니다. 나는 그 의자가 얼마나 오래된 것인지 정확히 모르지만 꽤 오래된 것만은 분명합니다. 나는 할아버지께서 그것을 고치시던 것을 기억합니다. 그 오래된 의자를 할아버지께서 천갈이를 하고 나무 부분을 새롭게 마감질하여 고쳤습니다. 의자는 같은 의자였지만 재생되고 새롭게 되었습니다.

성경 말씀에는 하나님께서 우리의 영을 회복시킨다고 기록된 곳이 전혀 없습니다. 그리스도 예수 안에서 우리의 영은 새로운brand-new 피조물이 되는 것입니다. 그러나 우리의 혼은 새롭게 되어야 하고 회복되어야만 합니다.

어떻게 그렇게 됩니까? 혼에 관계된 이런 구절이 있습니다.

"너희 영혼을 능히 구원할 바 마음에 심어진 말씀을 온유함으로 받으라 … 너희는 이 세대를 본받지 말고 오직 마음을 새롭게 함으로 변화를 받아 하나님의 선하시고 기뻐하시고 온전하신 뜻이 무엇인지 분별하도록 하라 … 내 영혼을soul 소생시키시고 …"(약 1:21; 롬 12:2; 시 23:3).

사람의 영혼soul은 그의 마음mind이 하나님의 말씀으로 새롭게 될 때 구원받고 소생됩니다.

우리의 마음이 하나님의 말씀으로 새롭게 되면, 하나님이 말씀하시는 것과 같이 우리는 생각합니다. 하나님의 말씀은 곧 그분의 뜻이기 때문에 우리는 하나님이 허락하시는 뜻과 하나님의 완전한 뜻을 알고 분별할 수 있습니다. 우리 영혼이 구원받으면 하나님의 뜻에 관하여 많은 의문을 갖지 않게 됩니다.

오늘날 교회에 가장 필요한 것은 하나님의 말씀으로 마음을 새롭게 하는 것입니다.

06

몸을 드리기

그러므로 형제들아 내가 하나님의 모든 자비하심으로 너희를 권하노니 너희 몸을 하나님이 기뻐하시는 거룩한 산 제물로 드리라 이는 너희가 드릴 영적 예배니라 롬 12:1

그리스도 안에서 새로운 피조물이 되는 것은 겉사람이 아니라 속사람입니다. 우리가 새로운 피조물이 되기 전에 가지고 있던 똑같은 몸을 우리는 아직도 가지고 있습니다. 우리가 배워야 하는 것은 우리 안에 있는 새 사람이 우리를 다스리도록 하는 것입니다. 이 새 사람으로 육신을 다스려서 몸으로 하여금 무엇인가 하도록 해야 합니다.

고린도후서 5:17은 이렇게 말하고 있습니다.

“그런즉 누구든지 그리스도 안에 있으면 새로운 피조물이라 이전 것은 지나갔으니 보라 새 것이 되었도다”

어떤 번역본은 “누구든지 그리스도 안에 있으면 새로운 자아 a new self가 생겼다”고 합니다.

우리는 사람들이 “자기가 죽는 것dying out to self”에 관해 가끔 말하는 것을 듣습니다. 새 사람이 되었으면 더 이상 자기가 죽을 필요가 없습니다. 우리에게 필요한 것은 육신을 십자가에 못 박는 것입니다.

성경은 이것에 대해 말하고 있습니다. 육신을 십자가에 못 박는 것은 하나님께서 당신을 위해 하신 일이 아닙니다. 이것은 당신이 스스로 해야 하는 것입니다.

“그러므로 형제들아 내가 권하노니…”

바울은 교회에게 “하나님의 자비로 너희가 너희 몸을 드리기 바란다”(롬 12:1)라고 말합니다.

누가 당신의 몸을 드립니까? 바로 당신이 드립니다.

당신은 누구입니까? 당신은 거듭나서 새로운 피조물이 된 속사람the man on the inside입니다. 당신이 몸으로 무엇인가를 해야 합니다. 당신 자신이 몸으로 무엇을 하지 않는다면 아무것도 이루어질 수 없을 것입니다.

것이 아니고 육체의 눈도 감겨져 있지 않습니다. 육체적인 모든 능력을 다 가지고 영의 세계를 보는 것입니다.

나는 발자국 소리를 들었습니다. 방문은 12~14인치 가량 열려 있었으므로 방으로 들어오는 사람이 누군가하고 바라보았습니다. 나는 문자 그대로 육체를 가진 사람을 볼 것을 기대했습니다. 그러나 내가 본 것은 예수님이었습니다. 나의 목덜미와 머리털이 곤두서는 것 같았으며 온몸에는 소름이 끼쳤습니다.

나는 그 분을 보았습니다. 그 분은 흰 옷을 입고 로마 사람들이 신던 샌들을 신고 계셨습니다(예수님은 내게 여덟 번 나타나셨습니다. 이번만 제외하고 매 번 그 분의 발은 맨발이었습니다). 내 방문 가까이로 오실 때에 그 샌들 소리를 들었던 것입니다.

그 분은 약 5피트 11인치(약 180cm)의 키에 약 180파운드(약 82Kg)의 몸무게를 가진 듯 보였습니다. 그 분은 문을 밀어서 닫으시고 내 침대의 발치 주위로 걸어오셨습니다. 나는 거의 꼼짝 못하고 굳어져서 눈으로만 그 분을 쫓고 있었습니다. 그 분은 의자를 끌어서 내 침대 가까이에 밀어 놓고 앉으시더니 팔짱을 끼고서 말씀하시기 시작했습니다.

"내가 어제 밤 자동차 안에서 네게 말했듯이…"

어젯밤 그 차에는 사람들이 가득 차 있었습니다. 예수님께서 내 옆에 앉아서 말씀하실 때에 아내와 나와 사람들이 차를 타고 가고 있었습니다. 차 안에서 성령님께서 내게 말씀하셨고 나는 차 안에 있던 모든 사람이 들은 줄로 생각하고 "지금 그 말씀을 다 들었지요?"라고 말했습니다.

그들은 "아니요, 아무 소리도 못 들었는데요"라고 말했습니다.

구약 성경에서 선지자들은 "주의 말씀이 내게 임하셨으니 이르시기를…"이라고 말했습니다. 당신은 어떻게 주의 말씀이 선지자에게 임했는지 의아해한 적이 있습니까? 문자 그대로 귀로 들을 수 있는 것은 아니었을 것입니다. 만약 귀로 들을 수 있었다면 그 자리에 있던 사람은 누구나 들었을 것입니다. 그렇다면 그 선지자는 성령님께서 말씀하신 것을 사람들에게 말할 필요가 없었을 것입니다. 주의 말씀은 하나님의 영으로부터 그 선지자의 영에게로 왔습니다. 이 음성이 너무 사실적이어서 그 때는 마치 귀에 들리는 듯 했습니다. 주의 말씀은 내게도 너무나 사실적이어서 나는 차 안에 있던 사람들도 모두 들었을 것이라고 생각했습니다.

예수님께서는 "내가 그저께 밤에 차 안에서 네게 말할 때 나의 영으로 네게 다음에 좀 더 이야기하겠다고 말했었다. 그래서 지금 이것에 관해 이야기하려고 왔다"고 하셨습니다.

예수님은 선지자의 사역에 관하여 1시간 반 동안 말씀하셨습니다. 나도 예수님께서 말씀하고 계신 것에 연관된 질문을 하였습니다. 그 분은 질문에 답하셨습니다. 나는 여기서 선지자의 사역에 관하여 그 분이 말씀하신 모든 것을 언급하지는 않겠고 그 중에 몇 가지만 다루기로 하겠습니다.

예수님은 말씀하셨습니다.

"신약의 선지자와 구약의 선지자는 초자연적으로 어떤 것을 보고 알았기 때문에 보는 자seer라고 불렸던 점에 있어서는 매우 비슷하다. 신약의 선지자도 초자연적으로 무엇을 보기도 하고 알기도 한다. 그러나 신약의 선지자는 교회에서 앞 길을 안내하라고 그들을 세우지 않았다는 점에서 구약의 선지자의 위치와는 같지 않다. 새 언약 아래 있는 그리스도인은 아무도 선지자들을 통해 인도를 받으려고 할 필요가 없다. 그리스도인은 선지자들을 통해 인도를 받을 수도 있지만 그것은 성경적이 아니다. 신약의 선지자 사역은 단지 사람들이 자신들의 영 안에 이미 가지고 있는 것을 확인시켜 주는 일뿐이다.

옛 언약 아래서는 오직 제사장, 선지자와 왕만이 이 직분을 맡을 수 있는 성령의 기름부음을 받았었다. 구약 시대에 네가 지금 평신도라고 부르고 있는 사람들은 그들 위에나 그들 안에 하나님의 영을 가지고 있지 않았었다. 그러므로 옛 언약 아래서는 선지자에게 하나님의 영이 있으므로 사람들은 선지자로부터 인도를 구했었다."

하나님께 감사하게도 새 언약 아래서 우리는 하나님의 영이 우리 위에 임하였을 뿐 아니라 성령님이 우리 안에 계십니다!

예수님은 또한 이 말씀도 하셨습니다.

"새 언약 아래서는 '선지자들에 의해 인도 받는 사람들은 누구나 하나님의 아들들이다' 라고 하지 않고 새 언약은 말하기를 '무릇 하나님의 영으로 인도함을 받는 사람은 곧 하나님의 아들이라' 고 말하고 있다(롬 8:14). 내가 나의 자녀들을 인도하는 최우선적인 방법은 내적 증거the inward witness에 의하여 인도하는 것이다. 내가 네게 어떻게 인도를 받는 것인지 보여줌으로 네가 과거에 저지른 실수들을 하지 않도록 하려고 한다."

예수님은 선지자 직분을 감당하는 것에 대해 설명하셨습니다.

"무엇보다도 선지자는 하나님의 소명으로 말미암아 그의 삶을 사역을 위해 복음의 일꾼minister으로 구별하여 드린 사람이며, 두 번째로 최소한 두 개의 계시의 은사, 즉 지혜의 말씀, 지식의 말씀, 영 분별함에 더하여 예언의 은사가 그의 사역 가운데 역사한다."

그리고 예수님은 지난 사흘 동안에 내게 일어나고 있었던 것에 나의 주의를 환기시키셨습니다. 지난 사흘 동안 나는 집회를 갖게 될 날짜를 확정하려고 어떤 목사님에게 편지를 쓰려고 했으나 어찌된 일인지 편지를 반 페이지 정도 쓴 후에는 찢어서 쓰레기통에 던져버렸습니다.

그 다음날도 똑같은 짓을 되풀이했습니다. 셋째 날도 마찬가지였습니다. 그리고 주님께서 내 방에서 말씀하신 그 날이 되었던 것입니다.

예수님은 이렇게 말씀하셨습니다.

"너는 내가 여기 앉아 네게 말하는 것을 보고 있다. 이것은 영들 분별함이라 불리는 성령의 나타남이다(영들 분별함은 영의 세계를 보게 되는 것입니다). 이것은 선지자의 사역을 수행하는 것이다. 너는 영의 세계를 보고 있는 중이다. 너는 나를 보고 있으며 내가 말하는 것을 듣고 있다. 나는 환상을 통해 지식의 말씀과 지혜의 말씀을 네게 주고 있다. 나는 네가 그 교회에 가지 말라고 말하고 있다. 네가 그 곳에 가면 그 목사는 너의 사역하는 방법을 받아들이지 않을 것이다. 그러나 앞으로는 너를 이런 방법으로 다시는 인도하지 않을 것이다(이 일은 오래 전의 일이었는데 예수님은 두 번 다시 그렇게 하지 않았습니다). 이제 후로는 너를 내적 증거inward witness를 통해서 인도할 것이다. 너는 항상 내적 증거를 가지고 있고 너의 영 안에 점검a check하는 것을 가지고 있다. 그래서 세 번이나 편지를 찢어버렸던 것이다.

너는 네 속에 무엇인가를 가지고 있었다. 하던 일을 멈추게 하는 것, 붉은 신호등, 멈춤 표시등이라고 할 수 있는 것 말이다."

그것은 "가지 말라"고 하는 음성도 아니었고 단지 내적 직감 inward intuition이었습니다.

그리고 나서 예수님은 내가 초청 받은 다른 집회에 대해서도 생각나게 해주셨습니다. 나는 그전 해에 순복음 교단의 한 집회에서 설교를 했었습니다. 참석했던 모든 목사님들이 내게 자기 교회에 와서 집회를 해줄 수 있겠느냐고 물었습니다. 그 후에 거의 수백 통의 전화를 받았습니다.

어떤 친구는 "해긴 형제님, 작은 교회 집회에도 가 본 적이 있나요?"라고 말했습니다.

"나는 주님께서 가라고 하는 곳이면 어디든지 갑니다."

"사실 우리 교회는 주일 성경 공부 참석 인원이 70~80명 정도밖에 안됩니다. 혹시 하나님께서 당신께 말씀하신다면 우리는 목사님이 와 주시기를 바랍니다."

나는 그 집회를 끝마쳤고 그 후 몇 달이 지난 어느 날 내가 교회에서 기도하고 있는 중에 그때 나눈 대화가 떠올랐습니다. 그리고 거의 매일 그 생각이 나는 것이었습니다. 마침내 30~40일 후에야 나는 주님께 말씀드렸습니다.

"주님, 제가 집회하러 그 작은 교회에 가기를 원하십니까?"

이에 대해 기도하면 할수록 생각하면 할수록 나는 내 속에 그 느낌을 더욱 잘 느낄 수 있었습니다. 그것은 육체적인 느낌이 아니라 내 영의 느낌이었습니다. 침대 곁에 앉으신 채로 예수님께서는 이것에 대하여 “네가 그것에 관해 더 생각하면 할수록 너는 그것에 관해 더 좋게 느꼈을 것이다. 네 영이 느꼈던 벨벳같이 부드러운 느낌, 그게 바로 초록색 신호등이란다. 그것이 바로 그렇게 하라go-ahead signal는 신호다. 그것이 가라는 성령의 증거다. 지금 너는 여기 내가 앉아 있는 것을 보고 있고 내가 네게 말하는 것을 듣고 있고 나는 네게 그 교회에 가라고 말하고 있다. 그러나 앞으로는 결코 이렇게 너를 인도하지 않을 것이다(주님은 다시는 이렇게 인도하지 않으셨습니다). 이제 후로는 내가 모든 그리스도인들에게 하듯이 내적 증거를 통해서 너를 인도하겠다.”

그리고 주님이 말씀하신 내용은 내게만 유익한 것이 아니라 당신들에게도 역시 유익할 것입니다.

“네가 이 내적 증거를 따르는 것을 배운다면 나는 너를 부자로 만들어 주겠다. 내가 너를 영적인 것은 물론 재정분야에 이르기까지 삶의 모든 일을 안내해 줄 것이다(어떤 사람들은 하나님은 우리의 영적인 안녕에만 관심이 있고 다른 것에는 전혀 관심이 없다고 생각하고 있습니다. 그러나 하나님은 당신이 관심을 가지고 있는 것이면 무엇이든지 관심을 가지고 계십니다). 나는 나의 자녀들이 부자가 되는 것을 반대하는 것이 아니라 다만 탐욕적이 되는 것을 반대할 뿐이다."

나는 바로 그 내적 증거를 따라 살아왔으며 주님은 그렇게 하시겠다고 말씀하신 대로 행하셨습니다. 주님은 나를 부자가 되게 하셨습니다.

어떤 사람들은 내게 "당신은 백만장자입니까?"라고 묻습니다.

내가 백만장자라고 말한 것이 아닙니다. 사람들은 "부자rich"의 의미를 잘 알고 있지 못합니다. 부요함rich이란 "충분한 공급a full supply"을 의미하는 것입니다. 그것은 "풍성한 공급하심abundant provision"을 의미하는 것입니다. 나는 충분한 공급보다 더 많은 것을 소유하고 있습니다. 나는 풍성한 공급하심보다 더한 것을 소유하고 있습니다. 왜냐하면 나는 내적 증거를 따라 성령의 인도하심을 따르는 법을 배웠기 때문입니다.

주님께서 내게 하신 것을 당신을 위해서도 하실 것입니다. 이것은 하룻밤 사이에 되는 것은 아닙니다. 그러나 당신이 당신의 영을 발전시키는 것을 배우고 내적 증거를 따르는 것을 배워감에 따라 주님은 당신을 삶의 모든 영역에서 안내해 주실 것입니다.

텍사스에 사는 한 사람을 알고 있었습니다. 그 사람은 12살이 될 때까지 신발 한 켤레 제대로 신어 본 적이 없는 가난한 사람이었고 5학년까지 교육받은 것이 전부입니다. 그러나 돈이 지금보다 훨씬 가치가 있던 시대에 그는 백만장자가 되었습니다. 그를 자주 만났던 두 사람에게 그가 똑같이 이런 말을 했다고 합니다.

"나는 수년 동안 모든 투자에서(이것이 그가 돈을 번 방법이었습니다) 한 푼도 잃은 적이 없다네."

"내가 투자한 곳엔 어디나 이익이 있었지요."

그리고는 어떻게 그럴 수 있었는지를 말했습니다.

"나는 항상 이렇게 합니다. 누군가가 어떤 곳에 투자할 것을 제의하면 나의 첫 번째 반응은 지적인 것입니다. 나는 예수님께서 '기도할 때는 골방에 들어가라' 고 하신 말씀을 알고 있습니다. 주님은 당신이 꼭 기도하기 위해 골방에 들어가야만 한다고 말씀하신 것이 아니라 우리가 다른 것들을 닫아버려야 한다는 것을 의미한다고 생각합니다. 그러나 나는 기도할 때 침실의 큰 옷장을 사용합니다. 나는 그 곳에서 문제에 대해 기도합니다. 내 영이 말하는 것을 들을 때까지 충분히 기다립니다. 어떤 때는 사흘씩 기다리기도 합니다. 물론 하루에 24시간씩 그곳에 머물러 있는 것은 아니고 한 번쯤 나와서 한 끼쯤은 먹기도

하나 대개 몇 끼쯤은 거릅니다. 또 골방에서 나와 잠도 조금 잡니다. 그러나 대부분의 시간을 내가 무엇을 해야 할지 나의 내적 증거에 의해 내가 알 때까지 기다립니다.

가끔 나의 머리는 '야, 네 돈을 거기에 투자한다면 넌 바보다. 넌 네 속옷까지 빼앗길 것이다' 라고 말합니다. 그러나 나의 영heart은 '어서 거기 투자해라' 라고 말합니다. 그러면 나는 그렇게 합니다. 수년 동안 나는 결코 돈 한 푼도 잃지 않았습니다.

그리고 또 다시 어떤 사람이 와서 투자하라고 하면 나의 머리는 '거기 투자하는 게 좋겠다' 고 말합니다. 그러나 나는 나의 머리가 하는 말에는 관심을 기울이지 않습니다. 나는 옷장에 들어가서 기다립니다. 때때로 밤을 새워 기다리기도 합니다. 기도하다가 성경을 읽기도 하지만 대부분의 시간은 그냥 기다립니다.

나는 단지 내 영heart이 내 안에서 말하는 것을 들을 수 있을 때까지 조용하게 있습니다. 내 영은 '아니다, 거기 투자하지 마라' 고 하고 나의 머리는 '그래, 거기 투자하는 게 좋겠다' 라고 할 때 나는 거기 투자하지 않습니다."

이 사람이 한 일은 무엇입니까? 그는 내적 증거를 따르는 법을 배웠던 것입니다. 하나님은 그가 1930년대 후반부터 1940년대 초에 벌써 2백만 달러를 벌도록 인도하셨습니다. 지금은 큰 돈 같지 않지만 그 당시에는 큰 돈이었습니다. 당신은 하나님께서 그 사람을 당신보다 더 사랑하셨다고 생각합니까? 그렇지 않습니다. 이 사람은 시간을 들여 하나님께 귀를 기울였던 것입니다. 그는 하나님 앞에서 기다리는 방법을 알았고 그대로 행함으로 실천했던 것입니다.

나는 한 그룹의 목사님들과 개인적으로 이야기를 나누고 있었습니다. 매우 성공적인 목회자에게 이렇게 물어보았습니다.

"하나님의 영의 기름부음이 목사님께 있는 것을 우리는 알고 있습니다. 그런데 목사님의 관점에서 볼 때 목사님의 성공에 기여한 것 중 특별한 것이 있다면 그것은 무엇입니까?"

"나는 항상 가장 깊은 영감premonitions을 따릅니다"라고 그는 말했습니다. 그가 말하는 것이 무엇입니까? 그는 단지 "나는 항상 나의 영에게 귀를 기울여 듣습니다. 나는 나의 영이 내게 하라는 대로 합니다. 나는 내적 증거를 따릅니다."라고 말하고 있는 것입니다.

내적 증거는 환상이나 다른 것들을 통해 인도 받는 것과 똑같이 초자연적인 것입니다. 그러나 이것은 환상처럼 극적이지 않을 뿐입니다. 많은 사람들은 극적인 것the spectacular을 찾느라고 바로 거기 항상 있는 초자연적인 것the supernatural을 놓쳐 버립니다.

08

구원의 증거

하나님의 아들을 믿는 자는 자기 안에 증거가 있고 하나님을 믿지 아니하는 자는 하나님을 거짓말하는 자로 만드나니 이는 하나님께서 그 아들에 대하여 증언하신 증거를 믿지 아니하였음이라 요일 5:10

"하나님의 영으로 인도함을 받는 사람은 곧 하나님의 아들이라"(롬 8:14). 하나님의 아들들은 하나님의 영에 의해 인도받을 것을 기대할 수 있습니다. 할렐루야! 그들은 다른 사람의 지시를 통해 인도받지 않습니다. 성령님이 우리를 인도하실 것입니다. 성령님은 어떻게 인도하십니까? 로마서 8장 16절에 "성령이(자신이) 우리의 영과 더불어 우리가 하나님의 자녀들인 것을 증거합니다bear witness with our spirit"(롬 8:16)라고 하십니다.

당신의 삶에 일어날 수 있는 가장 중요한 일은 하나님의 자녀가 되는 것입니다. 하나님의 영이 당신의 영과 더불어 증거하심으로 당신이 그 분의 자녀임을 알 수 있도록 하십니다. 그렇다면 하나님이 당신을 인도하시는 가장 우선적인 방법이 바로 내적 증거에 의한 것임을 이해할 수 있을 것입니다.

당신이 하나님의 자녀라고 누군가 예언을 했기 때문에 당신이 하나님의 자녀임을 아는 것이 아닙니다. 당신은 그런 예언을 받아들이지 않습니다. 또한 당신은 누군가 "나는 당신이 하나님의 자녀같이 느껴진다"고 말했다고 해서 당신이 하나님의 자녀인 것을 아는 것도 아닙니다. 당신은 그런 것을 받아들이지 않겠지요. 당신이 환상을 보았기 때문에 당신이 하나님의 자녀가 된 것도 아닙니다. 당신은 환상을 볼 수도 있고 못 볼 수도 있지만 환상이 당신을 하나님의 자녀가 되게 하는 것이 아닙니다.

그것은 성경이 말씀하고 있는 것이 아닙니다. 이런 것은 당신이 하나님의 자녀임을 알 수 있는 방법이 아닙니다. 성경은 우리가 하나님의 자녀인 것을 어떻게 알 수 있다고 말합니까?

하나님의 영, 그의 영이 우리의 영과 더불어 증거합니다. 때로는 당신이 하나님의 자녀인 것을 잘 설명할 수 없어도 당신의 내부 깊은 곳으로부터 그냥 그 사실을 알고 있습니다. 당신이 하나님의 자녀임을 내적 증거로 말미암아 알고 있습니다.

나는 1933년 4월 22일 병들어 침대에 누워있던 십대의 병약한 청년일 때 거듭났습니다. 그날 이후 내가 구원받지 않았을지도 모른다는 생각은 한 번도 들지 않았습니다. 내가 아직 젊었을 때 "당신은 우리 교회에 속해 있지 않기 때문에 구원받지 못했다"고 말하는 사람들을 만나기도 했습니다. 때로는 "당신은 우리가 하는 방법으로 침례를 받지 않았기 때문에 구원받지 못했다"고 주장하는 사람들도 있었습니다. 많은 사람들이 왜 내가 구원받지 못했다고 생각하는지 그 이유를 말했습니다. 그러나 그 어떤 것도 나를 흔들어 놓지 못했습니다. 나는 증거가 있기 때문에 그런 말들을 비웃어 버릴 수 있었습니다! 그리고 나는 그 사랑을 가졌습니다.

> 우리는 형제를 사랑함으로 사망에서 옮겨 생명으로 들어간 줄을 알거니와 사랑하지 아니하는 자는 사망에 머물러 있느니라
>
> 요일 3:14

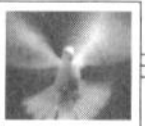

09

양털과 응답

또 새 영을 너희 속에 두고 새 마음을 너희에게 주되 너희 육신에서 굳은 마음을 제거하고 부드러운 마음을 줄 것이며 또 내 영을 너희 속에 두어 너희로 내 율례를 행하게 하리니 너희가 내 규례를 지켜 행할지라 겔 36:26-27

1941년에 나는 지금 내가 알고 있는 것만큼 잘 알지 못했습니다. 오해하지는 마십시오. 나는 지금도 내가 알아야할 만큼 다 알고 있는 것은 아닙니다. 하나님과 성경에 대하여 알 것을 모두 알고 있다고 생각하는 것조차 싫습니다. 물론 나는 모든 것을 알고 있지는 못합니다. 그렇지만 우리가 알고 있는 것으로 인하여 하나님께 찬양을 드립니다.

1941년 그 당시 나와 아내는 텍사스주 북쪽 지역의 한 교회 목회자였는데 동부 텍사스의 유전지대에 있는 또 다른 교회에서 나를 목사로 초빙하기 위하여 그 곳에 와서 설교해 줄 것을 부탁받았습니다. 그래서 나는 주일 날 그 곳에 가서 설교했습니다. 그 교회는 나를 목사로 초청할 것인지의 가부를 투표해도 되겠느냐고 물었고 나는 좋다고 말했습니다. 예배를 마친 후 집으로 돌아오면서 나는 양털을 하나 내놓았습니다.

나는 태어나서 남침례 교도로 성장했고 남침례 교도로서 설교를 하였으며 1937년 침례 교회 설교자로서 성령 세례를 받았습니다. 1939년 나는 한 작은 순복음 교회의 목사직을 받아들였습니다. 동부 텍사스에 있는 이 교회에서 나를 목사로 고려해 보기를 원했던 때는 1941년 3월이었습니다. 나는 순복음 교회 사람들과 오랫동안 교제하고 있었으므로 그들이 가지고 있는 잘못된 개념들이 내게도 좀 묻어있었습니다. 오해하지 마십시오. 많은 좋은 것들도 내게 묻어왔습니다. 그러나 이번 것은 나쁜 것이었습니다. 나는 그들이 양털을 내놓는 것에 대해 늘 말하는 것을 들었습니다. 그래서 나도 양털을 하나 내 놓았습니다. 사실 그것이 최고의 방법이라고 알고 있었던 것은 아닙니다. 그러나 그 당시에는 그렇게 하는 것이 기도를 많이 하며 애쓰지 않아도 되고, 홀로 있으면서 하나님을 시중드는 것waiting on God과 혹은 금식하는 등, 이런 힘든 일들을 안해도 되고 단지 양털만 밖에 내놓는 것이 좋아 보였습니다. 양털을 내놓을 때는 이렇게 기도 합니다.

"주님, 주님께서 내가 이것을 하기 원하시면 주님께서 이것을 해주세요" 또는 "하나님, 하나님께서 내가 이것을 하는 것을 원하시면 이 일이 일어나게 해 주십시오" 또는 "주여, 주님의 뜻이 아니면 문을 닫아 주십시오. 그리고 이 문을 열어주십시오."

어떤 문들은 마귀가 닫을지도 모르고 어떤 문들은 마귀가 열지도 모릅니다. 문을 열고 닫는 것은 마귀도 역사할 수 있는 영역입니다. 성경은 마귀를 이 세상의 신이라고 부르고 있습니다(고후 4:4). 이것은 마치 이렇게 기도하는 것과 마찬가지입니다.

"주여, 만일 주님께서 내가 다음 주에 캔사스시에 가기를 원하신다면 주께서 해긴 형제의 정문을 열어주십시오."

나는 하나님과 상관없이 내 스스로 내 집 정문을 열지도 모릅니다. 사단은 감각적 영역에서 활동할 수 있습니다. 하나님은 양털을 내놓는 것과 같이 이렇게 되거나 또는 이렇게 안되거나 하는 방법보다 그의 자녀들을 인도하시는 더 좋은 방법을 가지고 있습니다.

신약 성경은 "양털로 인도 받는 사람들은 하나님의 자녀다"라고 말하고 있지 않습니다.

어떤 사람은 이렇게 말할 것입니다.

"맞아요. 그렇지만 구약 성경에 보면 기드온은 양털을 내놓았지 않습니까?"

왜 옛 언약으로 돌아갑니까? 우리는 더 나은 언약을 가지고 있습니다. 옛 언약은 영적으로 죽은 사람들을 위한 것입니다. 나는 영적으로 죽지 않았습니다. 나는 살아 있습니다! 나는 내 안에 하나님의 영을 가지고 있습니다. 기드온은 선지자도, 제사장도, 왕도 아니었습니다.

구약 아래서는 오직 이 세 직분만 하나님의 영에 의해 기름부음을 받았습니다. 하나님의 영은 나머지 다른 사람들과는 개인적으로 함께 하지 않았습니다. 그래서 1년에 한 번씩 모든 남자는 예루살렘에 있는 성전에 자신을 나타내어야만 했습니다. 하나님의 임재, 즉 쉐키나 영광shekinah glory은 지성소 안에 닫힌 가운데 지켜졌습니다. 그러나 예수님께서 갈보리에서 죽으셨을 때 지성소를 가리고 있던 휘장은 위로부터 아래까지 찢어졌고 하나님은 밖으로 나오셨습니다. 그 때부터 하나님은 이 세상의 것으로 만든 집에 더 이상 거주하지 않으셨습니다. 하나님은 우리 안에 거주하십니다!

신약 시대의 성령 충만 받은 그리스도인이 양털을 내놓는 것은 위험한 것입니다. 나는 이 사실을 말씀을 통해 알고 있고 또

한 경험을 통해서도 알고 있습니다. 아까 이야기하던 1941년에 있었던 일로 다시 돌아가겠습니다. 나는 운전을 하면서 이렇게 말했습니다.

"주님, 제가 양털을 하나 내놓겠습니다. 저는 단지 이것을 주님께 맡기려고 합니다(이런 것들은 주님께 맡기는 것이 아니라는 것을 깨닫지 못했었습니다). 만일 그들이 나를 100% 목회자로 뽑아준다면 나는 그것을 하나님의 뜻으로 받아들이려고 합니다. 그리고 그 교회의 목회자 직분을 받아들이겠습니다."

나는 그 투표에서 만장일치를 얻었습니다! 그것은 나의 양털이었습니다. 그들은 100% 나를 선택해 주었습니다. 그들은 하나님을 놓쳤고 나도 하나님을 놓쳤습니다. 그들도 속고 나도 속았습니다. 나는 하나님의 온전하신 뜻perfect will을 벗어났고 하나님은 내가 그러도록 내버려두셨습니다. 우리는 목사관으로 이사를 했습니다. 여러모로 이 목사관은 겉으로 보기에는 우리가 전에 살던 곳보다 더 쾌적했습니다. 우리는 사례비도 더 많이 받게 되었습니다. 우리는 더 좋은 사택에 살았으며 더 좋은 차도 운전했습니다.

나는 말씀을 공부하고 기도하여 메시지를 받았고 그렇게 준비할 때는 뜨거운 불도 있었습니다. 그러나 내가 교회 문을 열고 한 발자국 들어가는 그 순간 마치 누군가가 찬물을 한 양동이 퍼서 붓는 것 같았습니다. 나는 받았던 그 모든 것을 잃었습니다. 14개월 동안 나는 한 번도 그럴듯한 설교를 하지 못했습니다. 영감이 전혀 없었습니다. 내 아내는 설교에 대해 언급하는 것을 꺼려했습니다. 마침내 아내가 이렇게 말했습니다.

"여보, 당신은 말씀은 잘하는 것 같아요."

내가 하는 것은 단지 "말을 하는 것talks"뿐이었습니다. 나는 설교를 하지 못했습니다. 약속한 기한이 다 되었을 때 그 교회를 떠났습니다. 떠나라는 어떤 신호를 기다린 것이 아니었지만 그냥 떠났습니다. 후에 목회를 하면서 늘 그 교회에 다시 가서 집회를 하고 싶었는데 그 이유는 나도 설교를 할 수 있다는 것을 그 곳 사람들에게 알려주고 싶었기 때문이었습니다. 그들은 한 번도 내가 정말 설교preach하는 것을 들어보지 못했습니다. 마침내 세월이 지나 나는 그 교회에 돌아가서 부흥회를 인도하게 되었습니다. 사람들은 놀라움에 입을 다물지 못했습니다.

"우리는 목사님이 이렇게 설교를 하실 수 있는 분인줄 몰랐지 뭡니까?"

"오, 물론 나는 이 곳에 목사로 부임해 오기 전에도 이렇게 설교할 수 있었고 여기를 떠난 후에도 이렇게 설교할 수 있었습니다."

“글쎄요, 목사님이 여기 계실 때는 이렇게 설교하지 않으셨습니다.”

“아닙니다. 우리 모두 하나님 뜻 밖에 있었기 때문이었습니다. 나는 하나님의 뜻 밖에 있었고 여러분들도 하나님의 뜻 밖에서 나를 뽑았기 때문입니다.”

나는 그 양털 비지니스에 대해 교훈을 얻었습니다. 한 번 실수했을 때 고침을 받아야 합니다. 그런데도 어떤 사람들은 양털로 인도 받는 모든 시도가 실패했음에도 불구하고 아직도 양털을 내놓고 인도 받고 있습니다.

그 후로 나는 다른 교회에 목사로 초빙 받아 갈 때 한 번도 잘못 인도 받은 적이 없습니다. 나는 두 번 다시 양털을 내놓지 않았습니다. 나는 기도하고 기다렸습니다wait on God. 무엇을 해야 할지 내 안에서 바로 알 때까지 나는 하나님께 충분히 오랜 시간 말씀을 드렸습니다.

10

증거 따라가기

주께서 나의 등불을 켜심이여 여호와 내 하나님이 내 흑암을 밝히시리이다 시 18:28

우리는 그 교회를 떠났습니다. 우리는 그 교단의 지도자로부터 잠시 자리를 채워야 할 다른 교회를 맡아 달라는 부탁을 받았기 때문입니다. 후에 나는 서재에서 기도하고 있다가 나는 내가 양털 내놓기의 결과로써 떠나게 되었던 그 교회로 되돌아가야 한다는 부담감을 갖게 되곤 했습니다. 하나님께서 내가 그 교회에서 하기를 원하는 것을 끝마쳐야만 했습니다.

이런 일들은 주로 내가 주일 예배와 설교에 관하여 방언으로 기도하고 있을 때 일어났습니다. 내가 방언으로 기도할 때에는 사람의 영이 주님의 촛불이므로 나의 영이 기도하기 때문이란 것을 기억하십시오.

나는 2년 전에 내가 떠났던 그 교회에 대한 부담감을 덜어보려고 벌떡 일어나서 집 밖으로 뛰쳐나오곤 했습니다. 한 번은 교회 옆으로 난 길에서 서성거리는 제 자신을 발견하게 되었습니다. '어떻게 내가 여기까지 나왔을까?' 여기에 나오려면 나는 교회 서재를 뛰어나와서 강당을 가로질러 교회 옆문을 통해서 나와야만 했습니다. 그런데 아무런 기억도 나지 않았습니다. 나는 그 교회에 대한 너무나도 큰 부담으로부터 벗어나려고 애쓰고 있었습니다. 나는 그 곳에 돌아가 목회하기를 원하지도 않았습니다. 마침내 30일이 지나서 나는 "주님, 제가 그 곳으로 돌아가라고 말씀하시는 겁니까? 주님께서 제게 어떤 안내를 해주시려는 것입니까? 그렇다면 내 아내에게 말씀하십시오. 아내도 들을 수 있습니다."라고 말했습니다.

어느날 아침 아내와 함께 설거지를 하다가 "여보, 주님께서 당신한테 뭐라고 말씀하시면 내게 알려줘요"라고 말했습니다. 나는 아내에게 더 이상 아무것도 말하지 않았습니다. 그리고 나서 30일을 기다렸습니다. 여러분은 무슨 일을 하려고 크게 서두를 필요가 없습니다. 성경은 말씀하고 있습니다.

"… 믿는 이는 다급하게 되지 아니하리로다"(사 28:16).

믿음은 서두르지 않습니다.

마귀는 당신을 서두르도록 밀어붙이려고 합니다. 마귀는 이렇게 말할 것입니다.

"빨리 빨리, 서둘러라 서둘러!"

마귀는 당신이 믿음에서 벗어나 의심과 불신앙으로 행함으로 하나님의 인도하심으로부터 멀어지도록 합니다.

30일 후에 나는 설거지를 하는 동안 옆에서 마른 수건으로 그릇들의 물기를 닦고 있는 아내에게 물었습니다.

"주님께서 당신에게 무슨 말씀하셨어?"

"잘 모르겠는데요."

나는 아내가 말을 하도록 좀 더 분명히 말했습니다.

"주님께로 … 돌아가는 것에 관해 당신에게 무엇인가 말씀하셨어?"

나는 그 교회가 있던 도시의 이름을 불렀습니다.

"오, 나는 그저 내 생각으로만 생각했는데요."

"자, '당신' 생각이라고 한 것이 무엇인지 짚어봅시다."

'당신' 이란 말이 당신의 육체를 의미한다면 그것은 맞지 않는 것입니다. 그러나 만일 당신이 진정한 당신 자신, 즉 속사람 – 바로 그 실제 당신을 의미한다면 그것은 맞는 것입니다. 그 영이 주님의 촛불이란 말씀을 기억하십시오. 그렇다면 그것은 겉사람이 아닌 당신을 위해 빛을 밝히고 있는 주님의 촛불, 속사람the inward man, 즉 속에 있는 사람the man on the inside 인 것입니다.

나는 아내에게 이렇게 말했습니다.

"한 가지 물어보겠는데 당신 생각으로, 자연적인 관점에서 볼 때 그 곳으로 돌아가고 싶나요?"

"아니, 아니에요!"

"그렇다면 그건 당신 생각일리 없군요. 그렇잖아요?(그것은 육신 즉 자연인인 당신, 겉사람인 당신이었을리가 없다고 말하는 것이 더 어울렸겠지요.) 당신이 원하지 않는 것을 하려고 생각하지는 않을 것이니까요."

나는 아내도 나와 똑같은 내적 증거를 가지고 있다는 것을 알았습니다. 때때로 내적 증거가 있어도 사람들이 그것을 알아차리지 못하곤 합니다.

"하나님께서 우리를 그 길로 인도하시는 것이 확실해요. 이 문을 여시고 우리를 그 곳으로 돌아가게 하시는 분은 하나님임이 분명합니다. 하나님께서 그렇게 하시도록 합시다."

하나님은 그렇게 하셨습니다. 몇 달 뒤에 그 교회에서 한 주간 설교할 수 있도록 초청받았습니다. 그 후에 이사회에서 내가 그 교회 담임목사로 오는데 관심이 있는지 물어왔습니다.

나는 하나님으로부터 그런 응답을 받았다고 그들에게 말하지는 않았습니다. 단지 "그럴 수도 있지요"라고 말했고 그들은 "우리는 모두 목사님을 모실 것을 얘기해 왔고 교회는 목사님이 돌아오시기를 원하고 있습니다."

"그러면 교인들이 나를 두고 투표를 하셔야 합니다. 그러면 내가 어떻게 할 것인지 말씀드리겠습니다. 어서 투표를 시행하시고 그리고 나서 저의 뜻을 통보하겠습니다."

육신적인 관점에서 본다면 나와 아내는 아직도 그 곳에 돌아가기를 원하지 않았습니다. 비록 그 사람들을 사랑했지만 그 마을에 사는 것을 원하지 않았고, 그 집에 사는 것도 원하지 않았습니다. 내 심령 속에는 하나님께 순종하고 싶어하는 마음이 있었으나 내 육신의 모든 것은 반항했습니다.

자연인, 내 겉사람, 자연적이고 인간적인 생각과 마음으로는 나는 그 곳에 돌아가기를 원하지 않았습니다. 그 교회 이사회에서 투표에 대한 모든 적절한 공고와 광고가 행해지는 동안 나는 진지하게 기도하며 금식하며 실제로 주님께 나와 나의 아내가 알고 있는 그 내적 증거를 받기를 원하지 않는다고 말하고 있었습니다.

나는 사흘째 금식에 접어들고 있었습니다. 나는 주님께서 좀 더 극적인 방법으로 역사 하시기를 원했습니다. 나는 어떤 말씀이나 방언과 통역이나 예언이나 또는 하나님께서 하늘에 "그곳으로 가라"고 쓰시기를 바랐습니다. 나는 무릎을 꿇고서 소리지르고 신음하며 애원했습니다. 왜냐하면 그것이 내가 아는 전부였습니다.

하나님은 내적 증거inward witness뿐만 아니라 내적 음성inward voice을 통해서도 인도하십니다. 내적 음성은 "거기서 일어나라 그런 짓 그만두거라"라고 말했습니다.

나는 일어났습니다.

"주님, 주님께서 내게 어떤 초자연적인 신호를 보여 주신다면 나는 이 문제에 대해 좀 기분이 낫겠는데요."

"너는 내가 주려고 한 모든 것을 이미 받았다. 초자연적인 신호도 필요하지 않다. 너에게는 방언과 방언 통역도 필요하지 않으며 어떤 예언도 필요 없다. 네 속사람은 어떻게 해야 할지를 알고 있다. 이제 행동하라."

"네, 그렇게 하지요."

우리는 자주 내적 증거를 무시하고 무엇인가 감각적 영역의 것을 원합니다. 우리는 감각적으로 흥분되는 것the sensational을 추구하다가 초자연적인 것the super-natural을 놓칩니다.

하나님께서는 그의 자녀들을 무엇보다도 우선적으로 내적 증거를 통해 인도하신다는 것을 배워야 합니다.

11

두 번째 : 내적 음성The Inward Voice

내가 그리스도 안에서 참말을 하고 거짓말을 아니하노라 나에게 큰 근심이 있는 것과 마음에 그치지 않는 고통이 있는 것을 내 양심이 성령 안에서 나와 더불어 증언하노니 롬 9:1-2

성령님께서 우리를 안내하시는 첫 번째 최우선적인 방법은 내적 증거를 통해서 하는 것이고 두 번째는 내적 음성을 통해서 하십니다. 속사람, 영의 사람a spirit man은 음성을 가지고 있는데 마치 겉사람이 음성을 가지고 있는 것과 같습니다. 우리는 속사람의 음성을 양심이라고 부르기도 하고 "세미한 음성the still small voice"이라고 부르기도 합니다. 당신의 영은 음성을 가지고 있습니다. 당신의 영이 당신께 말할 것입니다.

1966년 9월 우리는 달라스 근처의 가란드 텍사스에서 오클라호마주의 털사로 이사했습니다. 우리는 그 곳에서 17년을 살았는데 이사를 하게 된 과정은 이렇습니다.

아내와 나는 사업상의 문제 때문에 털사를 방문하게 되었습니다. 우리의 사역은 성장하고 있었고 이런 성장을 수용하기 위해 텍사스의 집과 사무실을 어떻게 할 것인지에 관해 구상하고 있었습니다. 그런데 털사에서 친구가 이렇게 말했습니다.

"해긴 형제, 자네 털사로 이사오게. 티엘 오스본T. L. Osborn 형제의 옛날 사무실 건물을 팔려고 내 놓았다네. 그의 사업 담당자가 그 사무실을 팔아달라고 내게 부탁했었네."

그리고 친구는 값을 말했는데 아주 싼 가격이었습니다. 나는 관심이 없었지만 그가 "가서 한 번 보세"하고 제의할 때 그를 기분 좋게 해 주려고 따라 나섰습니다. 그러나 그 건물 안에 들어서는 순간 내 속에서 경보장치가 울려버렸습니다(가끔 내적 음성은 너무도 실제적이어서 마치 심령 속에 '부저'가 울리는 것과도 같습니다). 나는 바로 '이 건물이구나' 하고 즉시 알았습니다! 그러나 나는 그 음성에 귀를 기울이고 싶지 않았습니다. 갈란드에 머물러 살기를 원했기 때문입니다(이것이 바로 우리가 수없이 그 음성을 듣지 못하는 이유입니다. 우리는 듣기 원한다고 말은 하지만 듣지는 않습니다). 우리가 친구 집으로 돌아오자 아내가 그 건물에 대해 내게 물었습니다.

"오, 아니야. 난 벌써 다 따져 봤어요. 우리는 우리 집 전체를 사무실로 바꾸고 갈란드에 남아 있을거야."

우리는 그날 밤 잠자리에 들었지만 도저히 잠을 이룰 수 없었습니다. 나는 잠자는 데는 문제가 없는 사람입니다. 성경은 "하나님은 사랑하는 자에게 잠을 주신다"(시 127:2)고 말하고 계시고 나는 하나님의 사랑하는 아들입니다. 당신도 그렇습니다.

"사랑하시는 자 안에서 우리를 받아들이셨다"(엡 1:6)고 하였습니다. 나는 항상 하나님의 약속을 주장하고 이렇게 말합니다.

"주님, 나는 주님의 사랑 받는 자입니다. 나는 당신의 말씀 그대로를 믿습니다. 잠을 주시니 감사합니다."

그리고 나는 항상 잠을 잘 잡니다. 그러나 이번에는 잠을 잘 수가 없었습니다. 나의 양심이 고통하기 시작했습니다. 내 양심은 나의 영의 음성입니다. 나의 영은 내가 그 음성에 귀를 기울이지 않았다는 것을 알고 있었습니다.

밤중에 조용히 누워서 나는 주님께 말했습니다.

"주님, 주님께서 내가 털사로 가기를 원하신다면 이사 가겠습니다. 육신적인 생각은 그 곳으로 옮기기를 원하지 않습니다만 나는 주님의 길에 방해가 되지는 않겠습니다."

그러자 나의 내부로부터 그 세미한 음성이 들렸습니다. 나는 지금 하나님의 영이 말씀하신 것에 관하여 말하고 있는 것이 아닙니다. 성령님께서 말씀하실 때는 그 음성은 좀 더 권위가 있습니다. 세미한 음성은 우리들 자신의 영이 말하는 것입니다. 그러나 우리 자신의 영은 우리 안에 계신 성령님으로부터 그것을 받는 것picks it up입니다. 그 세미한 음성, 그 내적 음성은 권위적이지 않고 단지 나의 내부에서 "내가 그 건물을 네게 주려고 한다"고 말합니다.

나는 웃었습니다. 나에게 불신앙이 있는 것을 알았습니다만 나는 그냥 "네, 당신이 주신다면 그때 믿지요"라고 말했습니다. 성령님께서 말씀하시는 것을 듣고picking up on what the Holy Spirit was saying 그 내적 음성은 "네가 나를 지켜봐라"고 말했습니다. 더 자세히 말할 것도 없이 어떻게 하나님께서 그 건물을 우리에게 주셨는지는 당신을 놀라게 할 것입니다.

12

성령님이 내주하심의 효과

바울이 공회를 주목하여 이르되 여러분 형제들아 오늘까지 나는 범사에 양심을 따라 하나님을 섬겼노라 하거늘 행 23:1

바울이 교회에 쓴 편지들을 읽어가면서 그의 양심에 관하여 말한 바를 찾아보는 것은 흥미 있는 일입니다. 바울이 늘 그의 양심에 순종한 것을 알 수 있습니다. 당신의 양심은 안전한 안내자입니까? 만일 당신의 영이 그리스도 안에서 새 사람이 되었다면 대답은 예입니다. 왜냐하면 당신의 양심은 당신의 영의 음성이기 때문입니다.

그런즉 누구든지 그리스도 안에 있으면 새로운 피조물이라

이전 것은 지나갔으니 보라 새 것이 되었도다 고후 5:17

이런 것들은 사람의 영, 즉 속사람에게서 일어납니다. 우리는 먼저 새로운 피조물, 즉 그리스도 안에서 아주 새로 만들어진 a brand-new man 사람입니다.

두 번째로 모든 옛 것들, 우리의 영에 있던 마귀의 본성은 사라졌습니다.

세 번째로 모든 것들 - 우리 몸과 마음은 아니고 - 우리 영은 새 것이 되었습니다. 이제 우리 영에 하나님의 본성을 가지게 되었습니다. 그러므로 만일 당신의 영이 하나님의 생명과 하나님의 본성을 가진 새 사람이라면 당신의 양심은 안전한 안내자입니다. 그러나 거듭나지 않은 사람은 영의 음성을 따를 수 없습니다. 그의 양심은 그가 무엇을 하든지 다 허락할 것입니다. 하나님의 생명과 본성을 당신 안에 가지게 될 때 당신의 양심은 아무것이나 하도록 허락하지 않을 것입니다. 당신이 거듭났으면 하나님의 생명을 소유하고 있는 것입니다.

하나님이 세상을 이처럼 사랑하사 독생자를 주셨으니 이는 그를 믿는 자마다 멸망하지 않고 영생을 얻게 하려 하심이라

요 3:16

> 죄의 삯은 사망이요 하나님의 은사는 그리스도 예수 우리 주 안에 있는 영생이니라 롬 6:23

어떤 사람은 "이것은 단지 우리가 하늘나라에서 살게 될 것을 의미하는 것"이라고 말합니다. 하지만 그렇지 않습니다. 그것만을 의미하는 것이 아닙니다.

이런 성경구절을 생각해 보십시오.

> 내가 하나님의 아들의 이름을 믿는 너희에게 이것을 쓰는 것은 너희로 하여금 너희에게 영생이 있음을 알게 하려 함이라
>
> 요일 5:13

너희에게 '영생이 있음을' 은 현재 시제로 되어 있습니다. 우리는 지금 영생을 소유하고 있습니다. 당신이 거듭난 그리스도인이라면 지금 당신의 영이 하나님의 생명과 본성을 소유하고 있습니다.

오! 사람들이 그들의 영을 따르는 것을 배우기만 한다면!

사람들이 그들 안에 있는 생명을 사용하는 법을 배우기만 한다면!

나는 어려서 교회에 나가기 시작했으며 침례도 받았습니다만

그런 것이 나를 그리스도인이 되게 하지는 못했습니다. 내 나이 열 다섯에 심장의 상태가 나빠서 완전히 침대에 눕게 되었을 때 나의 영은 아직도 거듭나지 못했었습니다. 나는 침대에 몸져 누워 있었던 16개월 동안 진실로 거듭났습니다. 1934년 8월 어느 날 할머니의 성경을 읽고 있던 침례교도 소년으로서 나는 병고침을 받았습니다.

나는 1년 동안 중단했던 고등학교를 다시 다니기 시작했습니다. 거듭나기 전에 몇 과목들은 겨우 통과할 수 있을 정도였습니다.

그 당시에는 'D' 학점이면 낙제였는데 한 과목이라도 D를 맞으면 유급이 되어 전과목을 같은 학년에 다시 다니며 들어야 했습니다. 두 선생님께서 내게 "내가 2점을 올려 주었단다. 그렇지 않으면 넌 'D'를 맞게 되었었단다"라고 말했습니다. 그러나 거듭난 후에는 성적표마다 모두 'A'를 맞았습니다. 뿐만 아니라 책 한 권도 방과 후에 집으로 가져오지 않았습니다. 그 당시 나는 성령 세례에 관하여서는 아무것도 몰랐지만 그러나 내가 알고 있던 것이 무엇인지 알겠습니까? 나는 내 안에 하나님의 생명을 소유하고 있다는 것을 알고 있었습니다!

매일 아침 학교에 가려고 거리를 걸어가면서 나는 주님과 대화를 나누었습니다. 무의식적으로 나는 성령님의 인도를 받고 있었습니다. 나의 심령heart이 내게 그렇게 하라고 말했고 내 머리 대신 나의 심령에 귀를 기울였습니다.

나는 이렇게 말했습니다.

"주님, 구약 성경에 보니까 다니엘과 히브리 사람들의 세 자녀들은 바빌론에 있는 학교에 다닐 때 학교 학장의 호감을 받게 해주셨습니다(단 1:9). 하나님, 내가 모든 선생님들의 호감을 받을 수 있게 해주십시오. 그렇게 해 주심을 감사드립니다. 또 내가 읽어보니 그들이 3년간의 훈련을 마친 후에 세 히브리 아이들은 다른 학생들보다 10배나 더 총명했다고 했습니다(18-20절). 주님, 나는 하나님의 생명을 내 안에 소유하고 있습니다. 요한복음 1장 4절은 말씀하기를 '그 안에 생명이 있었으니 이 생명은 사람들의 빛이라' 고 했습니다. 빛은 발전하는 것을 의미합니다. 내가 10배나 더 잘하도록 모든 배움과 지혜에 지식과 기술을 부여해 주십시오."

매일 학교로 걸어가면서 나는 이렇게 고백하였습니다.

"그 안에 생명이 있었으니 이 생명은 사람들의 빛이라. 그 생명이 내 안에 있다. 하나님의 생명이 내 안에 있다. 이 생명은 빛, 즉 나의 발전을 말한다. 그것은 내 영을 발전시키는 것을 말한다. 나의 정신력을 발전시키는 것이다. 내 안에는 하나님이 계신다. 내 안에는 하나님의 지혜와 생명이 있다. 내 영에 있는 하나님의 생명이 나를 다스린다. 생명의 빛 가운데서 걷는 것을 내 심령의 목표로 삼는다.”

내가 월반을 했다는 것은 아닙니다. 수업 시간 외에는 공부하지 않았습니다. 나는 수업 시간에 모든 것을 집중해서 들었습니다. 그러나 영원한 생명을 내 영에 받아들이고 말씀으로 나의 마음을 새롭게 함으로써 나의 정신력은 30에서 60퍼센트로 증가되었습니다. 하나님의 생명은 누구에게나 똑같이 역사 하실 것입니다.

영생은 사람의 정신력에 큰 영향을 미치는데 내가 본 사건 중에 가장 놀라운 기적은 메어리라는 한 소녀에게 나타났습니다. 그녀의 정신력은 90%나 증가했습니다. 메어리는 일곱 살에 학교에 들어갔지만 1학년을 7년이나 다녔습니다. 7년 동안 그녀는 자기 이름도 쓰지 못했습니다. 결국 학교를 그만 둘 수밖에 없었습니다.

내가 목회하고 있던 교회에 나올 때 메어리는 18세나 되었지만 그녀는 두 살배기처럼 행동을 했습니다. 그녀는 땅에 주저앉아 바닥을 어린 아기처럼 기어다니곤 했습니다. 어머니가 옆에 앉아있지 않으면 교회 장의자에서 밑으로 들어가거나 치마 자락을 들어 올리거나 그녀의 어머니에게로 가려고 의자 위를 걸어 다니곤 했습니다. 그녀의 옷과 머리는 언제나 엉망이었습니다.

부흥회가 있던 어느 날 밤 메어리는 강단 앞으로 나왔습니다. 거기서 그녀는 영생 즉 하나님의 본성을 얻었습니다. 순간적으로 극적인 변화가 일어났습니다.

바로 다음날 밤 그녀는 예배 때 앉아서 18세된 숙녀같이 행동했습니다. 머리도 단정히 하고 옷도 잘 차려 입었습니다. 그녀의 정신력은 하룻밤 사이에 놀랍도록 증가한 것 같았습니다. 몇 년 후 장례식을 도우러 내가 그 도시에 가게 되었습니다.

"메어리는 어떻게 됐습니까?"

그 교회 비서에게 물어보았습니다. 그녀는 나를 교회 현관으로 안내해 주었습니다.

"저기 건축 중인 새 집들이 보이지요?"

"예."

"이 도시에 새로 짓는 집들입니다. 메어리가 이 집들을 짓고 있지요. 메어리는 남편을 잃고 과부가 되었습니다. 그녀는 자기의 모든 돈을 직접 관리합니다. 그녀에게는 사랑스런 세 자녀들이 있습니다. 그들은 교회 맨 앞 의자에 매주일 나와 앉아 있습니다. 그들은 교회에서 옷도 제일 잘 입고 교회에서도 가장 모범적인 행동을 합니다. 물론 십일조와 감사 헌금도 매주 하고 있습니다."

하나님의 생명이 그녀 안에 들어 갔습니다! 우리가 받은 것을 결코 완전히 배울 수는 없다고 확신합니다. 우리들 대부분은 과거에 그랬던 것같이 옛 피조물 그대로라고 말하면서 주님께서 단지 우리를 용서해 줄 것이라고 생각합니다. 우리는 그저 끝날까지 충성을 다하려고 애쓸 뿐입니다. 만일 수많은 사람들이 우리를 위해 기도해 준다면 끝까지 그것을 해낼 수 있을 거라고 생각합니다.

그러나 그런 것이 아님을 하나님께 감사합니다. 하나님의 생명이 우리의 영에 부여되었습니다! 하나님의 본성이 우리 영 안에 있습니다. 성령님께서 우리 영 안에 살며 거주하고 계십니다.

13

두 경험

빌립이 사마리아 성에 내려가 그리스도를 백성에게 전파하니

행 8:5

빌립이 하나님 나라와 및 예수 그리스도의 이름에 관하여 전도함을 그들이 믿고 남녀가 다 침례를 받으니 행 8:12

예루살렘에 있는 사도들이 사마리아도 하나님의 말씀을 받았다 함을 듣고 베드로와 요한을 보내매 그들이 내려가서 그들을 위하여 성령 받기를 기도하니 이는 아직 한 사람에게도 성령 내리신 일이 없고 오직 주 예수의 이름으로 침례만 받을 뿐이더라 이에 두 사도가 그들에게 안수하매 성령을 받는지라 행 8:14-17

새 언약 아래에서는 모든 하나님의 자녀가 하나님의 영을 소유하고 있습니다. 당신도 거듭났다면 하나님의 영이 당신 안에 계십니다. 우리는 성령으로 거듭난 것과 성령으로 충만함을 받은 것을 구별할 필요가 있습니다.

거듭난 그리스도인은 그 자신 안에 있는 똑같은 성령으로 충만함을 받을 수 있습니다. 성령으로 충만함을 받아 흘러 넘치게 됩니다. 그는 성령이 그에게 말함utterance을 주심으로 다른 말로 말할 것입니다(행 2:4).

성경학자들은 물이 하나님의 영의 모형이라는 것을 알고 있습니다. 예수님 자신도 물을 성령의 한 모형으로 사용하셨습니다. 예수께서 사마리아 우물에서 한 여자에게 말씀하실 때 물을 새로운 탄생의 한 모형으로 사용하셨습니다.

> 예수께서 대답하여 이르시되 네가 만일 하나님의 선물과 또 네게 물 좀 달라 하는 이가 누구인 줄 알았더라면 네가 그에게 구하였을 것이요 그가 생수를 네게 주었으리라 여자가 이르되 주여 물 길을 그릇도 없고 이 우물은 깊은데 어디서 당신이 그 생수를 얻겠사옵나이까 요 4:10-11

> 예수께서 대답하여 이르시되 이 물을 마시는 자마다 다시

목마르려니와 내가 주는 물을 마시는 자는 영원히 목마르지 아니하리니 내가 주는 물은 그 속에서 영생하도록 솟아나는 샘물이 되리라 요 4:13-14

예수님께서는 또한 성령으로 채움 받음의in the inflicting of the Holy Spirit 한 모형으로 물을 사용하셨습니다.

명절 끝날 곧 큰 날에 예수께서 서서 외쳐 이르시되 누구든지 목마르거든 내게로 와서 마시라 나를 믿는 자는 성경에 이름과 같이 그 배에서 생수의 강이 흘러나오리라 하시니 이는 그를 믿는 자들이 받을 성령을 가리켜 말씀하신 것이라 (예수께서 아직 영광을 받지 않으셨으므로 성령이 아직 그들에게 계시지 아니하시더라) 요 7:37-39

이것은 두 개의 다른 경험입니다. 새로운 탄생은 당신 안에 샘물이 있는 것과 같습니다. 이 샘은 영원한 생명으로into everlasting life 샘솟는 것입니다. 성령으로 채움 받는 것the inflicting은 단지 하나의 강이 아니라 여러 개의 강rivers입니다. 우물의 물은 한 가지 목적을 위한 것입니다.

우물의 물은 당신 자신의 유익을 위한 것이며 당신에게 복을 줍니다It blesses you. 강들 가운데 있는 물은 다른 목적이 있습니다. 당신으로부터 흘러나오는 강들은 다른 사람에게 복을 줍니다.

어떤 사람들은 말하기를 "당신이 성령으로 거듭났으면 당신은 성령을 가지고 있고 그것이 전부입니다"라고 합니다. 그러나 그렇지 않습니다. 당신이 물 한 컵 마셨다고 당신이 물로 가득찬 표시가 되지 않는 것과 같습니다. 새로운 탄생에 이어 성령으로 충만함을 받는being filled with the Spirit 것입니다. 그 결과로 배에서부터(가장 깊은 존재 - 영) 생수의 강이 흐를 수 있게 됩니다.

어떤 사람들은 다른 방언으로 말하는 것과 성령 충만함을 받지 못했다면 성령도 받지 못했다고 말합니다. 이것도 진리가 아닙니다. 만일 내가 물을 반 컵 마셨다면 나는 물로 가득 차지는 않았지만 최소한 물은 내 안에 있는 것입니다. 어떤 사람이 하나님의 영으로 거듭나면 그 안에 하나님의 영을 가지고 있는 것입니다.

14

안에 계신 하나님

하나님의 성전과 우상이 어찌 일치가 되리요 우리는 살아 계신 하나님의 성전이라 이와 같이 하나님께서 이르시되 내가 그들 가운데 거하며 두루 행하여 나는 그들의 하나님이 되고 그들은 나의 백성이 되리라 고후 6:16

당신이 거듭나면 성령님은 당신의 영 안에 거주하십니다. 성령님이 어디에 살며 거주하신다고요? 머리에 사십니까? 아닙니다. 몸에 사십니까? 어떤 의미로는 그렇습니다만 우리가 생각하듯이 정확히 그렇지는 않습니다.

당신의 몸이 성령님이 거주하시는 성전이 된 이유는 당신의 몸이 바로 자신의 영의 성전이기 때문입니다. 성령님은 당신의 영에 거주하십니다. 그리고 성령님은 당신의 영을 통해 의사소통하십니다. 성령님은 당신의 마음과 직접 의사소통하지 않습니다. 성령님은 당신의 마음에 있지 않고 당신의 영에 있기 때문입니다. 그 분은 당신의 영을 통해 의사소통합니다. 물론 당신의 영은 당신의 정신mentality에 영향을 끼칩니다.

내가 그리스도 안에서 갓난아기로 아직 병석에 누워있을 때에도 나의 내적 증거로 말미암아 어떤 것을 알곤 했습니다. 나는 성령의 충만을 받고 다른 방언으로 말하는 것에 관하여 전혀 알지 못했습니다만 성령으로 거듭났었습니다. 내가 하나님의 자녀라는 성령의 증거를 내 속에 담고 있었습니다.

내가 꼼짝 못하고 침대에 몸져 눕게 된지 4개월쯤 되었던 어느 날이었습니다. 어머니께서 내 침대로 오시더니 "아들아, 네게 이런 말하기가 너무 괴롭다만 덥에게 무슨 일이 생긴 모양이다"라고 말씀하셨습니다.

덥은 나의 큰 형님입니다. 그는 17살 때 집을 나갔습니다. 우리는 그가 어디 사는지조차 몰랐습니다. 어머니께서는 영으로 무엇을 감지하였습니다. 어머니는 그가 문제를 일으키고 감옥에 있을지 모른다고 생각했습니다.

"나는 그를 위해 사흘째 기도 중인데 난 도움이 필요하다"고 말씀하셨습니다.

"엄마, 엄마에게는 내가 침대에 몸져 누운 것만으로도 큰 고통이 된다고 생각했는데요. 나도 이미 며칠 전에 덥에 관해 알고 있었어요. 덥이 감옥에 간 것은 아닙니다. 그런 문제가 아니고 그의 몸이 위험에 처해 있습니다. 그렇지만 내가 이미 기도했으니까 괜찮아질 겁니다. 목숨은 건지게 될 것입니다. 나는 벌써 응답 받았습니다"라고 말했습니다. 그때 나는 치유에 관한 응답을 어떻게 받는 것인지도 몰랐습니다. 내가 하나님으로부터 병고침을 받게 된 것은 그 후로도 1년 뒤의 일이었습니다. 그러나 나는 무엇인가를 알았습니다.

하나님을 찬양합니다! 하나님께서는 당신의 믿음이 있는 그곳에서 당신을 만나주실 것입니다. 믿는 것만큼 역사하십니다.

사흘 뒤에 덥은 집에 돌아 왔습니다. 그 때가 1933년이었는데 경제 공황 상태라 할 일이 없었습니다. 대공황 때는 일이 없어서 남자들은 길거리에서 서성거렸습니다. 덥은 일거리를 찾아 리오그란데 골짜기까지 내려갔지만 일자리를 얻을 수 없었습니다. 그래서 그 골짜기 뒤쪽에서 멕키니로 가는 화물 수송 기차에 뛰어 올라타기로 결심했습니다.

그런데 달라스 남쪽 50마일쯤 되는 지점에서 철도 공안원이 그의 머리를 쳐서 시속 50~60마일로 달리는 기차 밖으로 던져 버렸습니다. 철도 아래로 굴러 떨어졌지만 화부들이 철도 위에 버린 석탄재 위에 떨어져 무사했습니다. 척추가 부러지지 않은 것이 놀라웠습니다. 우리가 내적 증거를 통해 그것을 알지 못하고 기도하지 않았다면 그의 등은 부러졌을 것입니다.

그는 철도변 옆 파인 곳에 누워 있다가 한참 후에 나왔습니다. 그의 웃옷은 완전히 찢겨졌고 반바지 엉덩이 부분도 찢어져 밤에나 움직일 수 있었습니다. 낮에는 들판의 숲 속에 자신을 숨겼습니다. 그 때는 과일들이 익어 가는 철이었습니다. 밤에만 철도를 따라 걸어 멕키니까지 왔습니다. 그가 도착했을 때는 밤중이었습니다. 엄마는 그를 침대에 눕혔고 며칠 쉬자 그는 완전히 회복되었습니다. 엄마와 나는 성령 충만 받은 그리스도인은 아니었지만 그리스도인이었습니다. 우리는 무언가 잘못됐다는 우리의 내적 직관an inward intuition 즉 우리 영의 증거를 가지고 있었습니다. 이런 것은 모든 그리스도인에게 있습니다. 이것은 모든 그리스도인들이 개발해야 하는 것입니다. 우리는 우리의 영을 발전시켜야 합니다.

순복음 교회 목사인 내 친구는 10년 동안 큰 교통사고만 세 번이나 당했습니다. 동승한 사람들이 죽었고 부인도 거의 죽을 뻔했습니다. 그도 큰 부상을 입었고, 차는 다 부서졌습니다. 그러나 그 부부는 하나님의 불쌍히 여기심으로 인해 치료받았습니다. 그는 내가 이런 것에 대해 가르치는 것을 듣고 이렇게 말했습니다.

"해긴 형제, 내가 만일 내적 직관에 귀를 기울이기만 했더라면 세 사고를 모두 다 피할 수 있었다네."

이런 경우 사람들은 이렇게 말하곤 합니다.

"나는 왜 그런 일이 그렇게 훌륭한 그리스도인들에게 일어나는지 알 수 없습니다. 그 분은 목사님입니다"(당신이 당신의 영에 귀를 기울이고 듣는 것을 배워야 하듯이 목사들도 자신들의 영에 귀를 기울이고 듣는 법을 배워야 합니다).

그리고 그들은 그 모든 책임을 하나님께 돌리고는 하나님이 그렇게 하셨다고 말합니다.

그 목사는 내게 말했습니다.

"만일 내가 그 내적인 무엇에 귀를 기울여 들었다면 나는 조금 더 기다리고 기도했을 것이네. 무엇인가 일어나려고 한다는 직감an intuition을 가지고 있었기 때문이었지. 그러나 나는 '바빠서 기도할 시간이 없어' 라고 생각했다네."

많은 경우 우리가 기다렸더라면 하나님께서 우리에게 보여주셨을 것이고 우리는 많은 것들을 피할 수 있었을 것입니다. 그렇지만 과거의 실패 때문에 슬퍼하거나 괴로워하지는 맙시다. 우리 과거의 실수에서 좋은 것을 배우고 그런 일이 다시는 일어나지 않도록 확실히 합시다. 어쨌든 지나간 것에 대해서 우리가 할 수 있는 것은 아무것도 없습니다. 우리 영을 개발하고 영에게 귀를 기울이는 방법을 배웁시다. 성령님은 당신의 영에 거주합니다. 성령님으로부터 이런 것들을 집어내어picks up 내적 직감 혹은 내적 증거로 당신 마음에 전달하는 것은 당신의 영입니다.

예수님께서는 "… 사람이 나를 사랑하면 내 말을 지키리니 내 아버지께서 그를 사랑하실 것이요 우리가 그에게 가서 거처를 그와 함께 하리라"(요 14:23)고 하셨습니다. 이 성경 구절에서 예수님은 성령님이 오시는 것에 관하여 말씀하고 있습니다. 성령의 인격체 안에서in the Person of the Holy 예수님과 아버지는 우리 안에 거주하러 오십니다. 거처an abode는 누군가 살고 있는 장소입니다. 다른 번역은 "우리는 그에게 올 것이요 그와 함께 우리 집으로 삼을 것이다make our home with him"라고 했습니다.

사도 바울을 통하여 성령님은 이렇게 말씀하셨습니다.

> 너희는 너희가 하나님의 성전인 것과 하나님의 성령이 너희 안에 계시는 것을 알지 못하느냐 고전 3:16

또 다른 번역은 "하나님의 영이 네 안에서 편히 계신다The Spirit of God is at home in you." 바로 거기 당신 안에 성령님이 살고 계십니다!

성경은 이렇게 말하고 있습니다.

> 하나님의 성전과 우상이 어찌 일치가 되리요 우리는 살아 계신 하나님의 성전이라 이와 같이 하나님께서 이르시되 내가 그들 가운데 거하며 두루 행하여 나는 그들의 하나님이 되고 그들은 나의 백성이 되리라 고후 6:16

이 세 성경 구절을 합쳐 놓아 보십시오:

요 14:23; 고전 3:16; 고후 6:16

> 예수께서 대답하여 이르시되 사람이 나를 사랑하면 내 말을 지키리니 내 아버지께서 그를 사랑하실 것이요 우리가 그에게 가서 거처를 그와 함께 하리라 요 14:23

> 너희는 너희가 하나님의 성전인 것과 하나님의 성령이 너희 안에 계시는 것을 알지 못하느냐 고전 3:16

하나님의 성전과 우상이 어찌 일치가 되리요 우리는 살아 계신 하나님의 성전이라 이와 같이 하나님께서 이르시되 내가 그들 가운데 거하며 두루 행하여 나는 그들의 하나님이 되고 그들은 나의 백성이 되리라 고후 6:16

우리는 아직도 하나님께서 실제로 말씀하시고 있는 것의 깊이를 재어 보지 못했습니다:

"나는 그들 안에 거주할 것이다. 나는 그들 안에 살 것이다. 나는 그들 안에서 걸을 것이다."

만일 하나님께서 우리 안에 거주하신다면 - 그렇습니다 - 그 곳이 바로 하나님께서 우리에게 말씀하실 곳입니다.

15
당신의 영을 의지하라

내가 진실로 너희에게 이르노니 누구든지 이 산더러 들리어 바다에 던져지라 하며 그 말하는 것이 이루어질 줄 믿고 마음에 의심하지 아니하면 그대로 되리라 그러므로 내가 너희에게 말하노니 무엇이든지 기도하고 구하는 것은 받은 줄로 믿으라 그리하면 너희에게 그대로 되리라 막 11:23-24

성령님은 당신의 영에 있기 때문에 당신 머리가 모르는 것도 영은 알고 있습니다. 의학이 어린 시절의 나를 포기하고 죽도록 버려 두었을 때 그들은 나를 위해 아무것도 더 할 것이 없다고 말했습니다. 그렇지만 나는 만일 도움이 될 것이 있다면 그것은 성경 안에 있을 것임을 알았습니다.

내게 시간이 별로 없다는 것을 알고 있었으므로 나는 신약 성경부터 읽기 시작했습니다. 마침내 나는 마가복음 11장 23절과 24절을 읽게 되었습니다. 24절을 읽는데 내 밖의 어디에서 무엇이 내 마음에 말했습니다.

"그것은 네가 육체적으로나 물질적으로나 재정적으로 무엇이든지 네가 원하는 것을 의미하는 것이 아니다. 그것은 네가 무엇이든지 영적으로 원하는 것만 말한다. 병고침과는 상관없는 일이다."

나는 목사님을 오시라고 해서 마가복음 11장 24절이 무엇을 의미하는지 말해 달라고 하려고 했습니다. 마침내 한 목사님이 오셨습니다. 그 목사님은 내 손을 토닥거리시더니 목사님다운 직업적인 목소리로 이렇게 말씀하셨습니다.

"얘야, 잘 참아야 한다. 며칠만 있으면 모든 것이 다 끝날 테니까." 나는 이 최후의 판결을 받아들이고 죽기만을 기다렸습니다. 내가 마가복음 11장 23절과 24절로 다시 돌아오기까지는 꼭 두 달이 지났습니다.

"주님, 나는 다른 사람의 도움을 얻으려 해도 할 수 없었습니다. 그러므로 이제 당신께 내가 하려는 것을 말씀드리겠습니다. 나는 그냥 당신을 당신의 말씀 그대로 받아들이겠습니다. 이 땅 위에 계실 때 당신은 말씀하셨습니다. 나는 그 말씀을 믿으려고 합니다. 그것이 거짓말이 아니라면 나는 이 침대에서 일어나겠습니다."

그 때 이런 생각이 내 머리를 스쳤습니다 (손을 별로 사용하지 않았기 때문에 이렇게 하는데 한참이나 시간이 걸렸습니다. 사람들이 성경을 내 앞에 갖다주면 겨우 페이지를 넘겼습니다). 나는 믿음과 치료에 관계된 관주를 찾아 보아야겠다고 생각하며 야고보서 5장 14절과 15절을 펴보았습니다.

> 너희 중에 병든 자가 있느냐 그는 교회의 장로들을 청할 것이요 그들은 주의 이름으로 기름을 바르며 그를 위하여 기도할지니라 믿음의 기도는 병든 자를 구원하리니 주께서 그를 일으키시리라 혹시 죄를 범하였을지라도 사하심을 받으리라
>
> 약 5:14-15

나는 병고침에 관계된 모든 성경 말씀과 기도에 대한 약속이 이 말씀에 연결되어 있다고 생각했습니다. 교회의 장로들을 불러야만 한다고 생각했습니다(당신도 꼭 그래야만 하는 것은 아닙니다. 당신이 필요하다면 그럴 수 있다는 것입니다). 그래서 나는 이렇게 부르짖기 시작했습니다.

"사랑하는 주님, 내가 만일 교회의 장로들을 불러서 기름

으로 내 머리에 부어 병고침을 받아야 한다면 나는 병고침을 받을 수 없습니다. 나는 이것을 믿는 교회의 장로를 한 사람도 모르기 때문입니다."

나는 구원받은 지 6개월 되었고 내적 음성을 들어본 적이 없었습니다. 나는 하나님의 성령의 음성 - 성령의 음성은 내적 음성보다 더 권위가 있습니다 - 을 말하는 것이 아니라 내 영의 세미한 음성에 대해 말하고 있는 것입니다.

나의 영이 내게 말했습니다.

"그 말씀이 믿음의 기도는 병든 자를 구원할 것이라는 뜻임을 알아차렸느냐?"

나는 다시 한번 읽어보았습니다. 나의 마음은 장로들에게만 있었으므로 그 뜻은 놓쳤었습니다.

"네."

큰 소리로 내가 대답했습니다.

"그것이 바로 이 구절이 말하고 있는 것이군요."

이 일은 제게 정말로 충격이었습니다. 그 때 내 속에서 이런 말들이 들렸습니다.

"누구든지 할 수 있듯이 너도 그런 기도를 할 수 있다."

할렐루야!

그러나 나의 영적인 교육은 아직 느렸습니다. 그 침대에서

9개월을 더 누워 있은 후에야, 나는 병고침 받은 것이 나타나기 전에 병고침 받은 것을 믿어야 한다는 사실을 깨달았습니다.

"나는 병고침 받은 것을 믿는다."

이렇게 기도하며 고백하면서 내가 해야만 하는 일을 알게 되었습니다.

"나는 내 머리끝부터 발바닥까지 다 병고침을 받은 것을 믿습니다."

그리고 나서 나는 내가 병고침을 받은 것을 믿기 때문에 하나님을 찬양하기 시작했습니다. 내 안으로부터 나는 다시 이런 말들을 들었습니다 - 이 음성은 그렇게 권위가 있는 것은 아니었습니다만 단지 세미한 음성으로서 나의 마음과 몸이 활동적일 때는 들을 수 없을 만큼 작은 것이었습니다.

"이제 너는 네가 건강하게 된 것을 믿는구나."

"물론 나는 믿습니다"라고 대답했습니다.

그 내적 음성이 말했습니다.

"그러면 일어나라. 건강한 사람은 아침 10시 30분에는 일어나야 한다."

나는 전신을 못 움직이는 상태로 지내 왔었기 때문에 일어난다는 것은 힘든 일이었습니다. 나는 자신을 침대에서 밀어냈습니다. 나는 침대 모서리 기둥을 잡고 일어났습니다. 나의 무릎은 침실 바닥에서 좀 떨어진 상태로 있었습니다. 허리 아래 부분은 아무 감각도 느낄 수 없었습니다. 침대 기둥에 기대어 이렇게 말했습니다.

"나는 전능하신 하나님, 주 예수 그리스도, 성령님과 이 방에 있는 거룩한 천사들 앞에서 그리고 이 방에 있는 모든 악한 영들 앞에서 마가복음 11장 24절대로 나의 병고침 받은 것을 믿는다는 것을 선언하노라."

내가 이 말을 마쳤을 때 나는 몸으로 무엇인가 느낄 수 있었습니다. 나는 누군가 내 위에서 꿀을 한 병 쏟아 붓는 것 같이 느꼈습니다. 내 머리 꼭대기를 치는 것을 느꼈습니다. 그것은 마치 꿀처럼 쌓이더니 내 위에 흘러내리기 시작했습니다. 그것은 따뜻한 한 줄기 빛 같았습니다. 그것은 내 머리를 흘러내려 목과 어깨를 통해 내 팔과 손가락 끝까지, 또 내 온 몸을 통해 발가락까지 번져갔습니다.

갑자기 나는 똑바로 섰습니다! 그 이후 지금까지 나는 바로 서 있습니다. 그러나 나는 여러분이 이것을 알기 원합니다. 나는 내 영에 귀를 기울였습니다. 믿음은 영으로 말미암는 것입니다Faith is of the spirit. 당신이 이런 것들을 배울 때까지 당신의 믿음은 충만하게 역사하지 않을 것입니다. 그 분께 의지하는 것을 배우십시오. 바로 당신 안에 계신 그 분 말입니다.

당신 자신의 영을 발전시키는 법을 배우십시오. 하나님께 대한 당신의 믿음이 역사 한다는 사실에 믿음을 가지십시오.

16

부드러운 심령으로

우리 마음이 혹 우리를 책망할 일이 있어도 하나님은 우리 마음보다 크시고 모든 것을 아시기 때문이라 사랑하는 자들아 만일 우리 마음이 우리를 책망할 것이 없으면 하나님 앞에서 담대함을 얻고 요일 3:20-21

그리스도인으로서 당신이 잘못하면 성령께서 당신을 정죄하십니까?

그렇지 않습니다. 당신을 정죄하는 것은 당신의 영입니다. 그러나 우리는 가르침을 잘못 받았기 때문에 이 교훈을 배우기가 어렵습니다. 성령께서는 당신을 정죄하지 않을 것입니다. 왜 그럴까요? 하나님이 정죄하지 않으시기 때문입니다.

성령님께서 바울을 통하여 로마인들에게 보낸 서신에 무엇이라고 썼는지 보십시오. 그는 "정죄하는 자가 누구냐?"고 묻습니다. 하나님이 정죄하십니까? 아닙니다. 의롭다고 하시는 분은 하나님이십니다. 예수님은 성령님께서 세상에 대하여 책망하는 유일한 죄는 예수님을 거절한 죄뿐이라고 말씀하셨습니다(요 16:7-9).

당신이 잘못을 행했을 때 알아차리는 것은 당신의 양심 - 당신 자신의 영의 음성 - 입니다. 내가 잘못했을 때 내 영은 나를 정죄하지만 성령님은 나를 위로하시고 도와주시고 회복할 길을 보여 주시며 거기 계심을 발견했습니다. 성경을 읽어보면 성령님께서 정죄하는 자로 나타나지 않습니다. 예수님은 성령님을 위로자comforter라고 부르셨습니다. 확대 번역 성경에는 이 말의 7가지 의미를 나타내 보여 주었습니다.

> 내가 아버지께 구하겠으니 그가 또 다른 보혜사를 너희에게 주사 영원토록 너희와 함께 있게 하리니 요 14:16

내가 아버지께 구하리니 아버지께서 너희에게 다른 위로자(조언자, 돕는 자, 중재자, 대언자, 강하게 해주는 자, 대기하는 자)를 보내어 줄 것이며 그는 너희들과 영원히 남아있을 것이다.

성령님은 이 모든 것입니다!

아무도 없을 때도 성령님은 당신 곁에 계실 것입니다. 그는 당신을 도와 줄 것입니다. 그분은 돕는 자입니다!

당신이 잘못하는 순간을 아는 것은 당신 자신의 영입니다. 나는 이것을 일찍 배워서 기쁩니다. 이것을 아는 것이 나의 생에 있어 큰 유익을 주었습니다.

다음은 내가 갓 구원받고 치유받은 뒤 고등학교에 복학했을 때 나타난 사건입니다.

우리 집 식구 중에는 아무도 더러운 말을 쓰지 않았는데 내가 왜 더러운 말을 입 밖으로 흘려 보냈는지는 정말로 모를 일입니다. 그렇지만 우리 이웃에는 그런 거친 말을 하는 사람이 있었습니다. 하나님께서 그 심령을 축복하시기 원합니다. 텍사스 용어로 '욕설을 퍼붓다' cuss up a storm는 표현과 같이 우리 동네의 어디서든 그가 욕하는 것을 들을 수 있었습니다. 아마도 그 사람으로부터 들은 것 같습니다. 어쨌든 나는 한 친구에게 매우 상스러운 욕을 내뱉었습니다.

내가 이 욕을 하는 순간 내 안에서 이것은 잘못이라는 것을 알았습니다. 나를 정죄한 것이 무엇이었겠습니까? 성령님이었을까요? 아니었습니다. 그것은 나의 영이었습니다. 새로운 피조물인 나의 영, 즉 이 새 사람은 그런 식으로 말하지 않습니다.

하나님의 생명과 본성은 그런 식으로 말하지 않습니다. 당신의 육신, 곧 겉사람은 당신이 거듭나기 전과 같이 행동하고 말하고 싶어하지만, 당신은 육신을 십자가에 못 박아야만 합니다. 이제 육신, 겉사람을 못박는 좋은 방법은 당신의 실수를 즉시 열어 보이는 것입니다.

나는 그때 바로 그렇게 했습니다. 내 스스로 감동을 받기를 기다리지 않았습니다. 심령으로 나는 "사랑하는 하나님, 욕한 것을 용서해 주세요"하고 말했습니다. 나는 그를 찾아가서 용서해 달라고 했습니다. 그렇지만 그는 그런 욕에 익숙해 있어서 무엇을 용서해 달라는지 몰랐습니다. 그러나 나는 바로 잡아야만 했습니다.

그것은 내 영의 음성이었으며 나의 양심이었습니다. 나의 양심은 부드러웠고 나는 내 양심을 범하고 싶지 않았습니다. 당신이 부드러운 양심을 지키지 않으면 영적인 것들이 불분명해질 것입니다. 왜냐하면 당신의 양심이 당신의 영의 음성이며 양심 즉 당신 영의 음성은 하나님의 영이 성령 깊은 곳을 통해 당신에게 말하고 있는 것을 당신의 마음에 연결시켜 주기 때문입니다. 성경은 자신들의 양심에 화인을 맞은 그리스도인에 관하여 말하고 있습니다.

자기 양심이 화인을 맞아서 외식함으로 거짓말하는 자들이라

딤전 4:2

나는 시골에 있는 한 교회에서 처음 목회를 시작했습니다. 나는 대개 토요일 밤에 교회에 갔다가 토요일과 주일 밤을 보내고 월요일에 집으로 돌아오곤 했습니다. 나는 감리교도 형제 집에 자주 머무르곤 했는데 그는 89세였고 영적으로 아주 훌륭한 분이었습니다. 그와 나는 다른 농부들처럼 그렇게 일찍 일어나지는 않았습니다. 이 노신사와 내가 아침 8시경에 아침식사를 할 때면 농부들은 집안 일을 하거나 들에 나가서 일을 하고 있었습니다. 나는 커피는 마시지 않았는데 이 노신사는 커피를 즐겼습니다. 당신은 이제 내가 하는 말을 보지 않는 이상은 믿기 어려울 것입니다. 그는 구식의 커피 주전자를 – 그 때는 30년대 중반이었습니다 – 나무 때는 구식난로 위에다 놓고 커피를 끓이고 있었습니다. 그는 아직 잔 위로 김이 나는 너무나 뜨거운 커피를 크고 두꺼운 잔에 다 부어 그대로 들어서 단숨에 전부 다 마셔 버렸습니다.

처음 그가 그러는 것을 보았을 때 나는 소리를 질렀습니다. 나는 내 입과 목구멍이 타는 것 같았습니다. 어떻게 그는 그렇게 할 수 있었을까요? 내가 그랬다면 아마도 내 입의 안쪽, 내

입술의 조직, 나의 목과 식도는 너무 연해서 차 숟가락 하나만큼으로도 식도까지 화상을 입었을 것입니다. 그러나 그는 한 잔을 전부 입에서 떼지도 않고 다 마셔 버렸습니다.

그도 처음부터 그럴 수 있었던 것은 아닙니다. 수 년 동안 뜨거운 커피를 마시다 보니 그의 입술과 입과 목과 식도가 무감각해진 것입니다. 마침내 그는 그렇게 뜨거운 커피를 마실 수 있게 되었고 아무렇지도 않게 된 것입니다.

영적으로도 같은 일이 일어날 수 있습니다.

연하고 부드러운 양심을 유지하는 것을 배우십시오. 당신이 잘못을 하는 순간 당신의 양심이 당신을 정죄하면 그 순간 바로 고치는 법을 배우십시오. 당신이 교회 갈 때까지 기다리지 마십시오. 즉시 이렇게 말하십시오.

"주님, 나를 용서해 주십시오. 제가 죄를 졌습니다."

다른 사람이 보았거나 들었을 경우는 그 사람에게 바로 말하십시오.

"내가 잘못했습니다. 나를 용서해 주십시오. 그렇게 말하지 않았어야 했습니다."

당신이 성령의 인도를 받으려면 당신의 영을 연하고 부드러운 상태로 유지해야만 할 것입니다.

17

느낌들 : 몸의 음성

성령이 친히 우리의 영과 더불어 우리가 하나님의 자녀인 것을 증언하시나니 롬 8:16

대개 사람들은 이 구절의 증언이 육체적인 것에 관해 말하고 있다고 생각하나 그렇지 않습니다. 이것은 영적인 것을 말하고 있습니다.

우리의 영과 더불어 증언하는bearing witness with our spirits 것은 하나님의 영입니다. 성령님은 우리 몸과 더불어 증언하지 않습니다. 당신은 육체의 느낌을 따라 갈 수 없습니다.

우리는 흔히 "나는 하나님의 임재를 느낍니다"라고 말하지만 느낌이 아닙니다. 우리는 느끼지 않습니다. 우리는 하나님의 임재를 영적으로 감지합니다. 느낌이란 단어는 숙고한 뒤에 사용하십시오. 이 단어는 육체적 느낌이라는 잘못된 인상을 남겨 놓습니다. 육체적인 것과 영적인 것을 섞지 마십시오.

느낌은 몸의 음성입니다. 이성은 혼, 즉 마음의 음성입니다. 양심은 영의 음성입니다.

느낌을 따라가는 것은 문제 가운데로 들어가는 것입니다. 그래서 많은 그리스도인들이 오르락내리락하고 들락날락합니다(나는 그런 사람들을 요요 그리스도인이라고 부릅니다). 그들은 그들의 느낌을 따라 갑니다. 그들은 믿음으로 살지 않습니다. 그들은 그들의 영을 따라 살지 않습니다. 그들은 기분이 좋으면 "하나님께 영광을 돌립니다. 나는 구원받았습니다. 할렐루야, 나는 성령 충만을 받았습니다. 모든 것이 좋습니다"라고 말하지만 기분이 나쁘면 힘이 빠져 이렇게 말합니다

"나는 모든 것을 잃어버렸습니다. 전에 좋았던 것을 느낄 수 없습니다. 나는 실족했음에 틀림없습니다."

나는 사람들이 골짜기에 있었던 것을 말하다가 산꼭대기에 있던 것을 말하고 다시 골짜기로 내려가는 것을 말하는 것을 듣습니다. 그러나 나는 골짜기에 있어 본 적이 없습니다. 나는 구원받은 지 50년도 더 되었지만 산꼭대기 외에는 다른 곳에 있어 본 적이 없습니다. 당신도 골짜기로 내려갈 필요가 없습니다.

사람들은 "골짜기 체험"에 관해 말하지만 나는 골짜기를 경험해 본 적이 없습니다. 물론 시험과 시련은 있었지만 그때도 나는 시험과 시련을 초월하여 소리지르며 통과함으로써 항상 산 위에만 있었습니다!

오래 전 집회 중에 어느 여자가 찾아와 그녀의 39세 된 딸에 관해 말한 적이 있습니다. 그 딸에게 종양이 있는 것을 발견하고 수술을 하려고 했는데 검사 도중 그녀가 당뇨병도 앓고 있다는 것이 드러났습니다. 그녀가 의식불명에 들어갔을 때 의사들은 그녀의 당뇨를 조절하려고 애쓰고 있었습니다. 세 의사는 그녀가 의식을 회복하지 못하고 죽을 것이라고 말했다고 합니다. 이 어머니는 제게 이렇게 말했습니다.

"당신의 손을 이 손수건에 좀 얹어 주시겠습니까?"

나는 손을 얹고 기도했습니다. 그러자 그 어머니는 버스에 오르더니 그녀의 딸이 혼수 상태로 누워있는 병원으로 300마일 거리를 돌아갔습니다. 그녀는 산소천막 밑으로 손을 넣어 딸의 가슴 위에 그 손수건을 얹어 놓았습니다. 손수건이 그 딸에게 닿는 순간 그녀는 의식을 회복했습니다.

그녀는 한꺼번에 병고침도 받았고 거듭났으며 성령 충만을 받고 다른 방언으로 말하기를 시작하였습니다. 간호원들이 흥분하며 의사를 불렀습니다. 의사는 이렇게 말했습니다.

"그녀가 의식을 회복한 것은 놀라운 일입니다. 그렇지만 그녀를 조용히 시켜야 합니다."

그는 그녀를 잠잠케 하려고 주사를 놓았습니다만 아무 효과가 없었습니다. 그녀는 방언을 계속 말하면서 "나는 병이 나았습니다. 나는 병이 나았습니다. 나는 병이 나았습니다"하고 소리쳤습니다.

다음 날 그들은 여러 가지 검사를 했습니다. 그녀의 피는 온전하였고 더 이상 당뇨 증상도 없었습니다. 물론 종양도 발견할 수 없었습니다. 종양이 사라진 것입니다. 며칠 후 그녀는 퇴원했습니다. 얼마 뒤에 우리가 들은 얘기는 의사가 "당신에게 치료비를 청구하지 않을 것입니다. 우리가 한 것은 아무것도 없습니다. 우리보다 더 높은 능력이 고쳤습니다"고 말했다고 합니다.

3년 후 그녀가 42세가 되었을 때 그녀의 형제가 그녀를 새벽 2시에 데리고 왔었습니다. 그녀에게 또 다른 종양이 생겼습니다. 나는 그녀가 병고침을 받으러 왔다고 생각했습니다. 그래서 나는 "당신은 다시 병고침을 받을 수 있습니다. 우리가 당신에게 손을 얹겠습니다"라고 말했습니다. 그녀는 눈물을 글썽이며 "해긴 형제님, 나는 병이 낫든지 말든지 관심이 없습니다. 정말 내가 하나님과 함께 있었던 그 상태로 돌아갈 수만 있다면 나는 빨리 죽어서 천국에 가고 싶습니다"라고 말했습니다.

이 말을 듣고 나는 그녀가 믿다가 타락한 것으로 짐작했습니다. 그녀는 너무나 슬퍼 보였고 나는 그녀가 끔찍한 죄를 저질렀음에 틀림없다고 생각했습니다. 그래서 나는 "주님께서 당신을 용서해 주실 것입니다"라고 말했습니다.

그리고 나는 성경이 용서에 대해 말하고 있는 곳을 가르쳐 주었습니다. 그리고 나는 "우리 모두 이 소파 옆에 무릎을 꿇읍시다(제 아내와 그녀의 여동생도 함께 있었습니다). 내가 당신 옆에 무릎을 꿇겠습니다. 당신은 내게 고백을 할 필요는 없지만 주님께 말씀드리면 주께서 당신을 용서해 줄 것입니다"라고 말했습니다.

그녀는 나를 쳐다보더니 "해긴 형제님, 아무리 찾아봐도 나는 잘못한 것이 없는데요"라고 말했습니다. 나는 화가 몹시 났습니다. 나는 먼 거리를 운전했고 매일 밤 집회를 열고 있어 아침에 늦잠을 자곤 했습니다. 곤히 자고 있던 아침 일찍 문을 두드려 나를 깨웠기 때문에 아무래도 그녀에게 좀 날카롭게 말을 했던 모양입니다.

"바닥에서 일어나세요. 저 소파에 앉으세요."

나는 기분이 상했습니다.

"당신이 아무 잘못도 안했다면 도대체 왜 당신은 하나님께로 되돌아 가야 한다고 생각합니까?"

"글쎄요, 나는 이전과 같이 느껴지질 않습니다."

"그게 무슨 관계가 있습니까? 나도 느낌을 따른다면 내가 설교하려고 일어설 때 '반은 내가 타락했음에 틀림없습니다' 라고 말했어야 할 것입니다."

그녀는 나를 바라보더니 "아니 목사님들도 그렇다는 말씀입니까?"라고 물었습니다.

"물론 우리도 다른 사람과 똑같은 사람일 뿐입니다. 사실 나도 지금 느낌을 따른다면 당신에게 나를 위해 기도해 달라고 부탁하고 싶습니다. 나도 아무것도 느껴지지 않습니다. 당신이 여기 온 이래 아무것도 느낀 것이 없습니다."

"그러면 목사님은 어떻게 하시나요? 어떻게 기도를 해서 이기지요?"

"나는 기도해서 이기지 않습니다. 나는 이미 이겼습니다. 그리스도인은 승리한 자입니다. 우리는 승리한 자로He ought to be through 매분 매시간 매일 하나님과의 교제 가운데 살아야 합니다."

"그게 무슨 뜻이지요?"

"자, 그냥 거기 앉아서 나를 보세요. 내가 눈을 감고 기도할 테니 당신은 눈을 뜨고 계십시오."

그리고 나는 기도했습니다.

"사랑하는 주님, 내가 하나님의 자녀라는 것이 정말 기쁩니다. 내가 구원받은 것이 너무나 기쁩니다. 내가 거듭난 것이 나는 기쁩니다. 나는 아무것도 느낄 수 없지만 그것은 이것과 아무 관계가 없습니다. 나의 속사람은 새로운 사람입니다. 나의 속사람은 그리스도 안에서 새로운 피조물입니다. 내가 거듭났을 뿐 아니라 성령 충만 받은 것을 주님께 감사드립니다. 아버지 하나님, 아들 하나님, 성령 하나님께서 내 안에 계시다는 이 사실에 대해 감사하기 원합니다. 할렐루야!"

나는 아무것도 느껴지지 않았지만 어쨌든 이렇게 말했습니다. 내가 이렇게 고백했을 때 내 영에서(그 분은 언제나 그 곳에 계셨습니다.) 무엇인가 내 안으로부터 솟아나기 시작했습니다. 그것은 하나님의 영이 나타나셔서 움직이는 것이었습니다.

그때까지도 아무것도 느끼지 못했으나 내 영에서 거품이 올라오듯 솟아나는 무엇을 감지했습니다. 그것은 내 목구멍까지 올라왔고 나는 웃기 시작했습니다. '성령 안의 웃음' 이란 것이 있습니다. 나는 방언으로 말하기 시작했습니다. 이 부인이 말했습니다.

"당신 얼굴의 표정이 바뀌었습니다. 당신 얼굴에 방금 불이 켜진 것 같아요."

"그것은 늘 거기 있었던 것입니다. 바울은 디모데에게 그 안에 있는 은사를 흔들어 깨우라고 말했습니다. 나는 그저 내 안에 항상 있는 것을 흔들어 역사 하게 했을 뿐입니다."

"나도 그렇게 할 수 있을까요?"

"물론 당신도 할 수 있습니다."

그녀는 그렇게 했습니다. 그녀는 자기 안에 늘 있던 것을 흔들어 깨웠습니다.

나는 그 종양에 대해 기도를 했는지도 기억나지 않습니다. 내가 그녀에 대해 가지고 있는 마지막 기억은 종양이 사라졌다는 것입니다.

당신의 믿음의 기초를 느낌에 두지 말고 말씀에 두십시오. 로마서 8장 16절은 성령이 우리의 몸이나 우리 느낌에 증언을 한다고 하지 않았습니다. 영국의 위대한 믿음의 사도 스미스 위글스워스는 이렇게 말했습니다.

"나는 느끼는 대로 움직이지 않으며 보는 대로 움직이지도 않습니다. 오직 내가 믿는 것으로만 움직입니다. 나는 하나님을 느낌으로 이해할 수 없습니다. 말씀이 하나님에 관하여 말하는 것이 무엇인지에 따라 하나님을 이해합니다. 말씀이 그 분에 관해 말한 대로 주 예수 그리스도를 이해합니다. 하나님은 말씀이 어떻다고 말하는 모든 것 그대로이십니다."

당신은 당신 자신조차도 느낌으로는 이해할 수 없습니다.

하나님의 말씀이 당신에 관하여 무엇이라고 말하고 있는가에 따라 당신 자신을 거듭난 성령 충만한 그리스도인으로 이해하십시오. 하나님 말씀이 당신에 관하여 무엇이라고 말하고 있는지 읽을 때 당신이 그렇게 느끼든지 못 느끼든지 이렇게 말하십시오.

"네, 그게 바로 접니다. 나는 그것을 소유하고 있습니다. 말씀이 내가 그것을 가졌다고 말합니다. 말씀이 할 수 있다고 하는 것을 내가 할 수 있습니다. 나는 말씀이 내가 어떠하다고 말하는 바로 그런 사람입니다I am what the Word say I am."

그러면 당신은 영적으로 발전하기 시작할 것입니다. 성령은 당신의 영에 증언합니다.

18

안으로부터의 도움

그러나 진리의 성령이 오시면 그가 너희를 모든 진리 가운데로 인도하시리니 그가 스스로 말하지 않고 오직 들은 것을 말하며 장래 일을 너희에게 알리시리라 요 16:13

예수님께서 성령에 관하여 하신 말씀을 주의해 봅시다.

"… 그가 너희를 모든 진리 가운데로 인도할 것이다 …"

성령님은 당신을 인도하며 안내할 것입니다.

"… 왜냐하면 그는 스스로 말하지 않고 오직 들은 것을 말하며 …"

성령님은 말씀하십니다. 하나님이 말씀하시는 것과 예수님이 말씀하시는 모든 것을 성령님은 당신의 영에 말씀하실 것입니다. 성령님은 어디에다 말씀을 하십니까? 성령님은 당신의 영에 있기 때문에 그 곳이 바로 성령님께서 말씀하시는 곳입니다. 그 분은 공중 어디에선가 말하지 않습니다. 성령님은 안에다 말씀하십니다. 성령님은 하나님의 메시지를 내적 증거나 세미한 음성 즉 양심의 음성이나 성령의 더 권세 있는 내적 음성으로 당신의 영에 전달하십니다.

"… 그가 장래 일을 보여 줄 것이다 …"

나는 이 말이 하나님의 말씀에 기록된 것 같이 미래의 사건들에 관하여 성령님께서 우리에게 보여 주실 것이라는 의미로 생각하지는 않습니다. 성령님께서는 당신에게 일어날 일들을 보여 주실 것이라는 것을 의미합니다. 예를 들면 나 자신의 삶에 있어서 내가 미리 알지 못했던 가족의 죽음은 없었습니다. 장인께서 돌아가시게 될 것을 2년 전에 미리 알고 아내에게 아버지의 죽음을 준비할 수 있도록 했습니다. 아내는 장인에게 유일한 딸이었고, 그 집안의 영원한 어린 아이이며 아버지와 아주 친한 사이였습니다. 나는 아내가 아버지의 죽음을 어렵게 맞으리라는 것을 알았습니다. 그래서 아내에게 이렇게 말하기 시작했습니다.

"여보, 장인 어른이 연로해 가는 것을 당신도 알지요?"라고 말하면서 2년 동안 나는 아내를 준비시키려고 때때로 한 마디씩 던져 놓았습니다.

다른 지역에서의 집회를 마친 후 호텔에 앉아 있을 때 전화가 왔습니다. 내 안에 있는 무엇인가가 말했습니다.

“저 전화는 네게 온 것이다. 이것이 바로 네가 2년 동안 이야기 해 왔던 그것이다.”

28일이 지나서 그는 천국에 있게 되었습니다. 당신이 무슨 일을 미리 알고 있다면 준비를 잘 할 수 있을 것입니다.

> 보혜사 곧 아버지께서 내 이름으로 보내실 성령 그가 너희에게 모든 것을 가르치고 내가 너희에게 말한 모든 것을 생각나게 하리라 요 14:26

성령님께서 당신을 가르치실 것입니다. 그가 모든 것을 당신에게 기억나게 할 것입니다.

사람들은 내게 어떻게 그렇게 기억력이 좋은지를 묻습니다. 한 때 나는 신약 성경의 4분의 3을 외울 수 있었습니다.

“당신은 성경을 어떻게 외웁니까?”

이런 질문을 받을 때마다 이렇게 대답합니다.

“나는 평생 성경을 외운 적이 없습니다. 나는 외우는 것에 대해서는 아무것도 모릅니다. 당신이 노력한다면 당신의 마음을 개발할 수 있지 않겠습니까? 그러나 나는 말을 하게 되면 성경 말씀이 내 안에서 떠오릅니다. 성령님께서 내 안에 계심으로 기억나게 해 주십니다. 당신이 성령님과 협력하는 것을 배우게 되면 성령께서 미래에 일어날 일도 알려 주시고 많은 것들을 기억나게 해 주실 것입니다."

19
세 번째 : 성령님의 음성

베드로가 그 환상에 대하여 생각할 때에 성령께서 그에게 말씀하시되 두 사람이 너를 찾으니 행 10:19

하나님께서는 '세미한 음성'이라고 부르는 것에 의해서 우리를 인도하시기도 하며 하나님의 영의 음성을 통해서도 인도하십니다. 이것은 성령으로 인도 받는 세 번째 방법입니다.

성령님의 인도를 받는 첫 번째 방법은 내적 증거이고 두 번째는 내부의 세미한 음성이며, 세 번째는 성령님의 권세 있는 음성에 의해서 입니다.

우리의 영에게 말하는 성령님의 내적 음성과 우리 영의 음성인 세미한 음성 사이에는 다른 점이 있습니다. 당신 안에 있는 성령님이 말씀하실 때 그 음성은 더 권세가 있습니다. 때때로 그 음성은 너무나 사실적이어서 누가 말하고 있는지 주위를 둘러볼 정도입니다. 때로는 너무나 확실하게 들리므로 당신 뒤에서 누가 무슨 말을 했다고 생각할 정도입니다. 그러나 곧 당신은 그 음성이 당신 안에서 들렸다는 것을 깨닫게 됩니다.

구약 성경에서 어린 소년 사무엘이 "사무엘, 사무엘!"하고 그의 이름을 부르는 음성을 들었던 것을 기억하십시오. 사무엘은 엘리가 자기를 불렀다고 생각했습니다. 그는 벌떡 일어나 엘리에게 뛰어갔습니다.

엘리는 "아니다, 나는 너를 부르지 않았다"고 말했습니다.

사무엘은 침대로 돌아갔습니다.

그때 다시 "사무엘, 사무엘"하는 소리를 들었습니다. 그는 다시 엘리에게 뛰어갔습니다.

"아니다, 나는 너를 부르지 않았단다."

세 번째 그런 일이 일어났습니다. 마침내 무슨 일이 일어났는지 엘리가 어렴풋이 깨닫게 되었습니다.

"다음에 주께서 널 부르거든 대답하거라."

엘리가 말했습니다.

그래서 다음에 주님이 부르셨을 때 사무엘은 그 음성에 대답했고 주님은 그에게 말씀하셨습니다(삼상 3장).

모든 하나님의 인도하심은 초자연적입니다만 어떤 경우에는 특별하지 않습니다. 그러나 내가 50년의 사역을 통해 깨달은 것은 하나님께서 특별한 방법spectacular way으로 움직이실 때는 – 즉 하나님께서 내게 들을 수 있는 실제적 목소리로 내게 말씀하실 경우 – 대개 그것은 장래에 큰 어려움이 있다는 의미였습니다. 만일 그렇게 특별하게 내게 말씀하시지 않았다면 나는 그 일들을 잘 이겨내지 못했을 것입니다.

내가 마지막으로 목회 했던 교회에 관한 이야기를 예로 들겠습니다. 나는 그 교회의 목사 후보로서 수요일 밤에 설교하도록 초청 받은 상태였습니다. 그 곳에 가기 전에 나는 휴스턴에서 세 번의 주말 부흥회를 열었습니다. 부흥회 기간 동안 그 교회의 목사와 그의 형제(그도 역시 설교자였습니다)와 나는 밤 예배를 위해 매일 교회에 모여 기도했습니다. 목회자가 비어 있는 그 교회는 그 목사님들의 모교회였습니다. 매일 그 목사님과 그의 형제가 내게 물었습니다.

"그 교회에 관하여 기도해 보셨나요?"

마침내 나는 기도했는데 주님께 단지 이렇게 말했습니다.

"나는 그 교회에 다음 월요일에 갈 예정이고 수요일에 설교를 할 것입니다. 주님께서 내가 그 교회를 섬기기를 원하는지 그렇지 않는지 모르겠습니다. 그렇지만 주님이 뭐라고 말씀하시든지 저는 좋습니다.”

그것이 내가 말한 전부였습니다. 그러자 나는 너무나 분명한 음성을 들었고 놀라서 펄쩍 뛰었습니다. 나는 뒤를 돌아보았습니다. 정말이지 그 두 분 목사님 중 한 분이 누군가가 내가 기도하는 것을 듣고 나를 놀리는 줄 알았습니다. 왜냐하면 이 음성은 제가 귀로 들을 수 있는 그런 목소리였기 때문이었습니다. 그 목소리는 “너는 그 교회의 다음번 목사다. 그리고 그 교회가 네가 목사로서는 마지막 교회가 될 것이다”라고 했습니다(당신은 이것을 수천 가지로 다르게 해석할 수 있을 것입니다! 당신은 마귀가 당신은 곧 죽게 될 것이라거나 아니면 너는 실패할 것이라고 말하도록 내버려 둘 수도 있었을 것입니다). 그러나 실제로 그것은 내 사역이 전 교회를 상대로 여기 저기 다니면서 목회하는 사역a field ministry으로 바뀔 것임을 의미했습니다. 그 때 두 분 목사님은 교회 뒤편 의자 사이의 통로를 걷고 있었습니다. 늘 그랬던 것처럼 그들이 내게 물었습니다.

“그 교회에 대해 기도해 보셨습니까?”

“목사님은 지금 그 교회의 다음 번 목사를 보고 계십니다.”

“오오! 만일 그 교회에 관하여 목사님이 우리가 아는 것을 알고 있다면 그렇게 말하지 않았을텐데요. 그 교회는 반쪽으로 갈라져 있는 교회입니다. 무엇이든지 반수의 교인들이 지지하면 나머지 반은 반대하는 교회입니다. 목사로 선출되려면 그 교회에서는 3분의 2의 찬성표를 얻어야 합니다. 솔직히 말해서 목사님이 선출되기는 불가능합니다."

"그런 일에 관해서는 아무것도 모르지만 다만 그 교회의 다음 목사가 나라는 것은 알고 있습니다."

"글쎄, 목사님은 그 교회를 잘 모르신다니까요."

"그렇지만 나는 예수님을 알고 있으며 또 하나님의 영도 압니다. 나는 성령님께서 내게 말씀하시는 것을 알고 있습니다."

그 교회에서 처음 설교를 하고 난 후에 왜 하나님께서 그렇게 특별한 방법으로 움직이셨는지 알았습니다. 내가 전하는 말씀 한 마디 한 마디는 마치 고무공이 벽에 부딪쳐 되돌아오듯이 튕겨 나왔습니다. 정말 힘든 설교였습니다. 나는 하룻밤만 설교할 것으로 생각했는데 그들은 내가 며칠 밤을 더 설교하도록 해 놓았습니다. 매일 밤 아내와 아이들과 나는 잠을 자기 위해 다른 집으로 옮겨다녀야 했습니다. 우리는 하룻밤은 한 집사님 댁에서 머물고 다음 날 밤은 다른 집사님 댁에서 잤습니다.

어떤 집사는 우리에게 "만일 목사님이 계속 우리 집에만 계시면 회중들 가운데 몇 사람들은 질투를 하게 될 것이고 내가 목사님 편이라고 생각을 하여 목사님을 반대하는 표를 던질 것입니다"라고 말했습니다.

우리는 짐을 차에 싣고 매일 밤 다음 하루동안 쓸 물건들만 내리곤 했습니다. 매일 밤 새로운 집으로 가서 내릴 때마다 나는 아내에게 "만일 하나님께서 내게 그렇게 특별하게 말씀하시지 않았더라면 아침에 일어나 아이들을 데리고 아무에게도 간다는 말 한마디 안하고 떠났을 거야"라고 말했습니다.

내 육신은 떠나 버리길 너무나 원했습니다. 내 생각도 마찬가지였습니다. 그러나 하나님께서 내게 그토록 특별한 방법으로 말씀하셨기 때문에 내 영은 나를 침착하게 붙들어 두었습니다. 그들은 투표하였고 나는 만장일치로 담임목사에 선출되었습니다.

"이것은 금세기 최대의 기적입니다. 아무도 우리 교회에서 이런 표를 얻은 적이 없었습니다"라고 사람들이 말했습니다. 나는 그렇게 될 것을 알고 있었습니다. 하나님의 영이 내가 그렇게 될 것을 말씀하셨기 때문입니다.

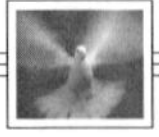

20

말씀으로 판단하라

범사에 헤아려 좋은 것을 취하고 … 살전 5:21

항상 이 말을 기억하십시오.

성경은 하나님의 영과 하나님의 말씀은 항상 일치한다는 것을 가르치고 있습니다. 하나님의 영이 당신에게 말할 때는 그 음성이 언제나 말씀the Word과 같을 것입니다. 사람들은 '계시'를 받고 '음성'을 듣기도 하며 또 어떤 사람들은 항상 음성을 들었다고 주장합니다 – 당신은 이런 것들을 분별할 수 있고 또 분별해야만 합니다. 당신은 영적 경험의 옳고 그름을 말씀으로만 분별해야 합니다.

수년 전 캘리포니아에 설교하러 간 적이 있었습니다. 한 여자가 그 교회의 목사님과 사모님 그리고 나를 점심 식사에 초청하더니 이렇게 말했습니다.

"해긴 형제, 주님이 내게 말씀하신 것을 말씀드리지요. 내가 받은 계시를 전해 드리고 싶습니다."

그 여자가 입을 열기도 전에 나는 내 영에 내적 증거로서 무엇인가 옳지 않은 것을 감지했습니다. 그러나 그 여자는 말하기를 고집했고 나는 들어주었습니다. 그녀는 집에서 식사 대접을 한 후 내게 이 '계시'를 나누어주기를 원했던 것입니다. 그녀가 계시에 관하여 10여분간 얘기를 하며 설명을 했을 때 내가 말을 끊었습니다. 더 이상 참을 수 없었습니다.

"제발, 잠깐만 기다리십시오"하며 말을 막았습니다.

"의자 옆 테이블 위에 성경이 있습니다. 성경을 펴서 여기를 보십시오."

나는 그녀에게 신약 성경의 장과 절을 말해주고는 "읽으십시오"라고 했습니다.

그녀가 그 말씀을 읽었습니다. 그리고 또 다른 성경 구절을 주었습니다. 그녀는 계속 읽었습니다. 대 여섯 개의 성경 구절을 지적해 주었습니다. 그녀가 읽은 모든 말씀은 그녀가 말했던 것과 대조가 되었습니다.

"보십시오. 나는 당신이 말하고 있는 것을 받아 들일 수 없습니다. 당신의 말은 이 책과 일치하지 않고 있습니다. 그러므로 그것은 하나님의 영일 수가 없습니다."

"그렇지만 해긴 형제, 나는 제단에서 기도하고 있었는데요."

"나는 당신이 교회 지붕 위에서 기도했다해도 그것에는 관심이 없습니다. 그것은 여전히 맞지 않기 때문입니다. 그것은 말씀과 일치하지 않습니다."

"그렇습니다. 그렇지만 하나님께서 내게 주셨다는 것을 알고 있습니다."

"아닙니다. 하나님이 주시지 않으셨습니다. 이것이 그 분의 말씀인데 당신이 말하고 있는 것은 하나님의 말씀과 정반대입니다. 당신이 말하고 있는 것을 확증해서 증거할 어떤 성경 말씀이라도 내게 주실 수 있습니까?"

"아닙니다. 그렇지만 이 음성이 내게 말하는 것을 들었습니다."

"나는 방금 다섯 개의 성경 구절을 당신께 주었습니다. 조금만 더 생각하면 나는 당신의 계시와 상반된 말씀을 스무 구절도 더 찾을 수 있습니다."

"글쎄요, 그렇지만 성경이든지 성경이 아니든지 나는 하나님께서 내게 말씀하신 것을 알고 있고 나는 그 말을 믿을 것입니다."

우리가 떠날 때 그 목사님이 내게 말했습니다.

"목사님께는 아무것도 말하려고 하지 않았는데, 이 여자는 원래 주님을 뜨겁게 사랑하는 귀한 성도였습니다. 그녀는 교회에 복이 되었습니다. 그러나 지금은 이런 계시를 아무에게나 강요하며 고집을 피워서 이 도시에 있는 모든 순복음 교회에서 배척을 받고 있습니다."

우리는 음성을 추구해서는 안됩니다. 음성을 따라서도 안됩니다. 우리는 하나님의 말씀을 따라야만 합니다.

1954년 여름 오레곤에서 있었던 한 집회에서의 일입니다. 첫 번째 집회를 마무리 할 즈음 기도 받기 위해 긴 줄을 서 있는 사람들의 머리에 손을 얹어 안수하고 있었습니다. 나는 그들이 안수 받으러 나오면 무엇을 위해 기도 받기를 원하는지 물었습니다. 한 여자를 위해 기도하려고 하는데 그녀의 팔을 잡고 있던 남편이 이렇게 말했습니다.

"내 아내가 치료받기를 원해서 왔습니다."

그는 자기 부인이 정신병에 걸렸다고mental breakdown 말했습니다.

나는 그녀가 이 교회에서 과거에 주일학교 교사를 했다는 것도 남편이 이 교회 집사라는 것도 몰랐습니다. 그러나 내가 그녀에게 손을 얹자 마치 TV 스크린이 꺼지는데 소요되는 시간 같은 짧은 순간에 그 상황을 모두 알아버렸습니다. 나는 지식의 말씀이라는 성령의 은사(고전 12:8)로 그 상황을 알았던 것입니다.

나는 오레곤의 가장 큰 도시에서 열린 집회에 이 여인이 있는 것을 영으로 보았습니다. 그녀는 수천 명의 회중 가운데 앉아서 그 복음 전하는 사람이 하나님께서 어떻게 들리는 목소리 audible voice로 자기에게 말씀하셨으며 그 사역에 자신이 어떤 부름을 받았는지를 말하는 것을 듣고 있었습니다. 나는 이런 일이 있을 수 있고 그랬을 것이라는 것을 의심하지 않았습니다. 그러나 그녀는 그 곳에서 복음 전하던 자가 하나님의 음성 듣기를 구하지 않았다는 사실을 깨닫지 못했던 것입니다. 하나님께서 스스로 그렇게 하셨던 것입니다.

우리는 하나님께 귀로 들을 수 있는 음성으로 말해달라고 구할 권리가 없습니다. 만일 하나님께서 그의 말씀 안에 그렇게 하시겠다고 하셨다면 우리 모두는 그것을 요구할 권리가 있습니다. 그러나 이 복음 전하는 자는 하나님께서 그런 방법으로 말해주실 것을 특별히 기다리지 않았습니다. 그렇지만 하나님이 원하신다면 그 분은 그렇게 하실 수 있고 이런 특별한 경우에는 그렇게 하는 것이 적합하겠다고 보셨던 것입니다.

이 때까지만 해도 그 여자는 정상이었습니다. 그러나 그녀가 귀로 들을 수 있는 음성으로 말해 주기를 하나님께 구하기 시작하자 마귀가 그녀 안에 자리잡았습니다accommodated her. 그녀는 음성을 듣기 시작했습니다. 그 음성이 그녀를 미치게 했습니다. 그녀는 지금 두 번째 정신병원으로 보내지려고 하고 있었습니다.

영으로 나는 이것도 보았습니다. 그녀 남편이 그녀를 바로 그 복음 전하던 자에게 귀신을 쫓아 달라고 부탁하기 위해 데리고 갔습니다. 그러나 그 사람은 귀신을 쫓아내는데 실패했습니다. 그녀의 남편은 그 복음 전하는 자를 비난했습니다. 그리고는 그녀 남편은 그녀를 또 다른 유명한 복음 전하는 자에게 데리고 갔습니다. 그 사람 역시 귀신을 쫓아내는데 실패했습니다. 나는 내가 그녀에게 손을 얹어도 그녀가 귀신으로부터 구출되지 못한다면 그가 내게도 화를 낼 것이라는 것을 알았습니다. 그래서 나는 그녀에게서 손을 떼었습니다.

"당신 부인을 목사님 서재로 데리고 오십시오. 그리고 거기서 기다리십시오. 기다리시는 분들을 위해 기도해 준 다음 당신과 이야기를 나누겠습니다."

병고침을 위한 안수기도가 모두 끝난 다음 목사님과 나는 서재로 들어갔습니다.

"무엇보다도 나는 오레곤에 간 적이 없습니다. 물론 당신들을 본 적도 없습니다. 나는 목사님이 당신을 아는지 조차도 모릅니다"라고 내가 말하자 "그는 우리 집사들 중의 한 분입니다"라고 목사님이 말했습니다.

나는 내가 보았던 것에 관해 말했습니다.

그 집사는 "정확하게 맞습니다"라고 말했습니다.

나는 "이제 내가 왜 당신의 아내를 위해 기도하지 않았는지를 말해 주겠습니다. 당신도 알다시피 당신 아내는 이런 음성을 듣기 바라고 있습니다. 그녀는 내가 말하는 것이 무엇인지 모를 정도로 그렇게 정신적으로 잘못된 것이 아닙니다."

"나는 목사님이 무슨 말을 하는지 정확히 알고 있습니다."

"자매님, 당신은 자신이 구원받기를 원하기 전에는 구원받을 수 없습니다. 당신이 지금의 상태를 좋아하는 한 – 당신이 이런 음성 듣기를 바라고 있는 한은 – 당신은 음성을 들을 것입니다."

"나는 음성 듣기를 바랍니다."

죄인이 죄 가운데 살기를 바라는 한 하나님은 그가 죄 가운데 살도록 버려 두십니다. 그러나 그가 변화를 원한다면 하나님은 그를 만나 주시고 구원해 주십니다. 그리스도인이 된다는 것이 그 자신의 자유로운 도덕적 결정 기능을 상실한다는 것을 의미하지는 않습니다. 그는 로봇 즉 하나님이 단추를 누르시면 하나님이 원하는 삶을 사는 존재로 변하지 않습니다. 그는 여전히 자유로운 도덕적 결정을 할 수 있는 존재입니다a free moral agency. 그들이 현재 자신의 상황을 원하는 한 그대로 남아 있을 것입니다. 그러나 만일 그가 하나님과 협조하기를 원한다면 도움을 받을 수 있습니다.

이 여자는 이렇게 말했습니다.

"이것이 내가 바라는 것입니다."

"내가 당신에게 손을 대는 순간 나는 알았습니다. 그래서 내가 당신을 위해 기도해주지 않은 것입니다. 당신이 이런 상태를 원하고 있는 한 이럴 수밖에 없었습니다."

음성 듣기를 구하지 마십시오.

이같이 세상에 소리의 종류가 많으나 뜻 없는 소리는 없나니

고전 14:10

우리는 하나님 말씀에 비추어 살펴보지 않고서는 어떤 것도 받아들이지 말아야 합니다. 나는 이런 것에 관하여 아주 일찍 배운 것을 매우 기쁘게 생각합니다. 내가 소년의 나이에 마가복음 11장 23절, 24절 말씀을 믿고 행함으로 병고침을 받았다는 것을 이미 말했습니다.

나는 선천성 기형 심장을 가지고 태어났습니다. 나는 다른 아이들처럼 뛰어보거나 놀아본 적이 없었습니다. 열 여섯 번째 생일이 되기 4개월 전에는 완전히 침대에 누워 움직일 수 없게 되었습니다. 나의 몸은 실제로 완전히 마비가 되어버렸습니다. 나의 몸무게는 89파운드까지 빠져버렸습니다.

어느 날 나를 담당한 다섯 번째 의사에게 물었습니다.

"내 눈이나 피에 무슨 문제가 있습니까? 마티스 박사님이 내 손가락에서 피를 뺐을 때 피가 붉은 색이 아니던데요."

의사가 말했습니다.

"애야, 내가 사실대로 말해주마. 백혈구가 적혈구를 네가 만들어내는 것보다 더 빨리 먹어치우고 있단다. 의학적으로 우리가 할 수 있는 일이란 아무것도 없단다. 네가 심장 상태가 나쁘지 않다거나 전신마비가 오지 않았어도 이 불치의 혈액병만으로도 너는 치명적이란다."

나는 하나님의 병고침에 관해서 아무것도 몰랐습니다. 나는 하나님의 병고침을 믿는 사람을 한 사람도 알고 있지 못했습니다. 성경에서 내가 하나님의 병고침을 발견했을 때 나는 아무도 모르는 무엇인가를 내가 발견한 것으로 생각했었습니다. 그리고 나서 하나님의 말씀대로 행하여 병고침을 받았습니다.

우리 가족들은 소위 명목상의 그리스도인들이었습니다.

문자 그대로 어린 그리스도인이었습니다. 구원은 받았지만 구원 이상의 가르침을 받지 못했습니다. 그들은 치유에 관한 하나님의 말씀을 몰랐습니다(우리 교회는 하나님이 원하신다면 병을 고칠 수 있다고 가르쳤습니다. 다른 사람들은 하나님께서는 병을 치료하지 않으실 뿐더러 병을 고치실 수도 없다고 가르쳤습니다).

그러나 성경 말씀에서 어떤 구절을 보기 시작하자 나는 내가 발견한 것에 관하여 가족들에게 말하기 시작했습니다. 그들은 나를 낙심시켰습니다. 나는 오직 성경만 대하고 이런 것들을 나 혼자만 간직할 만큼 지각이 있었습니다.

내가 병고침을 받았을 때 내 방에는 아무도 없었습니다. 나는 침대에서 일어나 한 이틀간 내 방을 걸어다닌 후에야 어머니께 "제게 속옷과 바지와 셔츠 그리고 양말 한 켤레와 신발을 가져다 주세요(16개월간 잠옷 외에는 아무 옷도 입어본 적이 없었습니다). 아침에는 일어나 식사하러 테이블로 가겠습니다"라고 말씀드렸습니다.

"오 아들아, 넌 네가 하는 일이 어떤 것인지 알고나 있니?"

어머니가 내 옷을 가져다 놓도록 하는데 45분이나 말씀을 드려야 했습니다.

그 때 우리는 외조부모님과 함께 살고 있었는데 나는 어머니께 다른 가족들에게는 말하지 말라고 부탁했습니다. 할아버지는 일찍 일어나셔서 현관의 그네에 앉으십니다. 할아버지께서 그네에서 일어나는 소리를 듣고 집 뒤쪽의 식당으로 가실 때면 시계를 볼 필요도 없이 7시 30분입니다. 할아버지는 시간 계획표대로 사셨습니다. 만일 당신 시계가 7시 30분이 아니라면 7시 30분으로 맞추어 놓는 게 나을 것입니다. 7시 30분이 틀림없으니까요.

내 방은 그 앞쪽에 있었습니다. 아침 7시 30분, 나는 현관 그네의 삐걱거리는 소리를 들었습니다. 할아버지께서 집 뒤쪽으로 걸어가시는 발자국 소리를 들었습니다. 나는 이미 옷을 다 차려입고 내 방의 한 의자에 앉아 있었습니다. 나는 그들이 식탁 주위에 앉을 시간을 주었습니다. 그때 나는 내 방에서 또 다른 침실을 가로질러 식당으로 걸어나왔습니다. 그들이 기대하지 않던 일이었습니다. 말이 없으신 할아버지께서 쳐다보시더니 이렇게 말했습니다.

"죽은 자가 살아났니? 나사로가 살아났니?"

"네, 주님께서 나를 일으켜 세우셨습니다."

그리고 할아버지께서는 내게 식사를 위한 축복 기도를 하라고 하셨습니다. 나는 기도했습니다. 그리고 식사를 했습니다. 별로 말을 하지 않는다면 얼마나 빨리 먹을 수 있는지 놀라운 일입니다. 우리는 할아버지와 함께 식사할 때는 말을 하지 않습니다. 특히 어린애들은 그랬습니다. 15분 이내에 아침 식사를 모두 마쳤습니다.

나는 내 방으로 돌아왔습니다. 시간은 8시 10분전이었습니다. 8시쯤 어머니께서는 내 침대를 정리해 주시려고 오십니다. 나는 보통 침대에 누워 있고 어머니는 목욕을 시켜 주셨습니다. 내가 병고침을 받던 이틀 전에도 어머니는 목욕을 시켜주셨습니다. 그만큼 나는 아무것도 스스로 할 수 없었습니다. 그런데 이 목요일 아침 나의 심장은 바로 뛰고 있었지만 나는 너무도 많은 힘을 써서 맥이 빠져 있었습니다. 그래서 나는 이렇게 생각했습니다.

"어머니가 방을 청소하러 오실 때까지만 침대에 누워 있어야겠다. 그리고는 할아버지와 함께 나가서 그네에 앉아 있어야겠다."

10시쯤에는 시내로 걸어 들어가 볼 생각을 마음에 갖고 있었습니다. 나는 깜박 잠이 들어 10분 정도 잠들었다가 8시에 갑자기 잠이 깨었습니다. 나는 어머니께서 방안에 계신 것으로 생각했습니다. 누군가 방에 있었습니다. 그를 볼 수는 없었지만 그 음성은 귀로 들을 수 있었습니다. 그 음성은 아주 느리게, 그리고 단조롭지만 깊은 어조로 성경을 인용하며 말했습니다.

"네 인생이 무엇이냐? 그것은 잠시 나타났다가 곧 사라져버리는 거품이니라."

그리고 잠시 후 그 음성은 "오늘 네가 반드시 죽으리라"고 말했습니다.

모든 음성이 다 하나님의 음성은 아닙니다. 내가 처음 들은 음성Audible voice은 마귀의 것이었습니다. 그러나 나는 그때 그것을 알아차리지 못했습니다. 나는 하나님께서 그 방에 계신 줄로 생각했습니다. 나는 침대에 일어나 앉았습니다. 기관총 총알이 날아가는 것보다도 더 빠르게 여러 생각이 내 마음에 들어섰습니다.

나는 야고보가 말한 것을 알고 있었습니다.

"너희 생명이 무엇이냐 너희는 잠깐 보이다가 없어지는 안개니라"(약 4:14)

나는 그 말이 성경 말씀인 것을 알았습니다. 나는 주께서 이사야에게 히스기야에게 말하라고 한 것을 알았습니다.

"너는 네 집에 유언하라. 네가 죽고 살지 못하리라"(사 38:1)

또한 침대에 몸져 누워 있던 처음 6개월 동안, 즉 하나님의 병고치심에 관하여 알기 전에는 내가 이해하고 있는 오직 한 가지 방법으로만 기도했습니다. 의사들은 내가 죽을 수밖에 없다고 말했고 나는 그 말을 받아들였으므로 이렇게 기도했습니다.

"주님, 내가 죽기 전에 알려주기만 해 주십시오. 그러면 모두에게 작별 인사를 할 시간을 가질 수 있을 것입니다."

그래서 나는 이 음성을 듣고 이렇게 생각했습니다.

"하나님은 네가 작별 인사를 할 시간을 가질 수 있도록 네가 죽으리란 것을 초자연적인 방법으로 알려주셨다. 하나님의 병 고침은 옳은 것이다. 너는 병고침을 받았다(마귀는 이것을 가지고 나와 논쟁할 수 없습니다. 나는 병고침을 받는데 관한 말씀을 이미 소유했습니다). 너희 가족은 네가 고침 받은 것을 알고 있다. 그들은 보아서 알고 있다. 그러나 기억하라. 성경은 이렇게 말했다. '사람이 한번 죽는 것은 정해진 것이다' 그리고 너의 정해진 시간이 되었다. 너는 오늘 죽을 것이다."

나는 침대에서 일어나 뒤꿈치를 들고 방을 지나서 창문가에 있는 의자에 앉았습니다(나는 하나님께서 바로 그 방에 서 계시다고 생각했습니다). 거기서 나는 아침 8시 30분부터 오후 2시 30분까지 죽기를 기다렸습니다. 2시 30분이 될 때까지 그 의자에 앉아 있었는데 어떤 단어가 내 속의 어디에서부터 떠올랐습니다.

그 당시 나는 내가 지금 알고 있는 것들을 몰랐었습니다. 그러나 나는 성령으로 거듭났었고 성령님께서 내 영 안에 계셨습니다. 성령님은 성경을 쓰신 분이십니다. 옛날에 거룩한 하나님의 사람들이 하나님의 영의 감동을 받아 쓴 것입니다. 성령님은 이 책에 무엇이 있는지 알고 계십니다. 왜냐하면 성령님은 내 안에 계셨고 내 영은 성령님이 알고 있는 그 무엇을 알았습니다. 그래서 내 속 어디에서부터 내 마음으로 이런 단어들이 떠올랐습니다.

"장수하게 함으로 내가 그를 만족케 하리라. 그에게 나의 구원을 보여 주리라."

내가 그 음성에 귀를 기울인 것이 아닙니다. 단지 나에게 이 말이 떠올랐고 멀어져 갔습니다. 나는 그 때까지도 거기서 죽기를 기다리며 앉아 있었습니다.

두 번째로 나의 내부로부터 이런 말들이 떠올랐습니다.

"장수하게 함으로 내가 그를 만족케 하리라. 그에게 나의 구원을 보여 주리라."

나는 이 말을 붙잡고 내 마음속에서 두어 번 반복했습니다. 그리고 나는 생각했습니다.

"그렇지만 하나님은 내가 오늘 죽게 될 것을 초자연적으로 알려 주셨는데…"

내가 마음으로 그 말을 생각하자 이 말씀들은 사라져 버렸습니다.

세 번째로 내가 거기 앉아 있는데 이런 말들이 떠올랐습니다.

내 속에서 무엇인가가 내 마음에 말했습니다.

"장수하게 함으로 내가 그를 만족하게 할 것이다. 그에게 나의 구원을 보여 주리라."

잠깐 동안 나는 이 말을 붙잡고 마음속으로 반복해 보았습니다. 그리고 나는 속삭이듯 이렇게 말했습니다.

"네, 그렇지만 내가 죽으리라는 것을 초자연적으로 내게 알려 주셨습니다."

또 다시 내가 마음으로 그 말을 생각하자 나는 이 말씀들을 놓쳐 버리게 되었습니다.

네 번째로 조금 더 권위 있게 하나님의 성령께서 말씀하셨습니다. 나는 펄쩍 뛰었습니다. 나는 누군가가 내 뒤에서 도망치는 것 같았습니다. 하나님의 영의 음성이 말했습니다.

"장수하게 함으로 내가 그를 만족케 하겠다. 그에게 나의 구원을 보여 주리라."

"누가 이 말을 했습니까?"라고 나는 말했습니다. 내 말은 이 방에서 내게 말하고 있는 사람이 누구냐는 뜻이었습니다. 그러자 그 음성은 이렇게 대답했습니다.

"시편 91편."

나의 성경은 내가 종일 앉아있던 의자 아래 바닥에 놓여 있었습니다.

나는 그 책을 거들떠보지도 않았었습니다. 나는 성경을 집어 들고 시편 91편을 폈습니다. 그 시편 끝 부분에 이르니 분명히 이렇게 쓰여 있었습니다.

> 장수하게 함으로 내가 그를 만족케 하리라 그에게 나의 구원을 보여 주리라 시 91:16

그렇다고 마귀가 그렇게 빨리 포기하리라고 당신은 생각하십니까? 절대 아닙니다. 다른 목소리가 – 내 어깨 위에 무엇인가가 앉아 있는 것 같이 느꼈습니다 – 내 귀와 마음에다 말했습니다.

"그래, 그렇지만 그 말은 구약 성경에 있는 말이다. 그 말은 유대인들만 위한 것이다. 교회를 위한 말이 아니다."

나는 거기 앉아 잠시 생각해 보았습니다. 그리고 말했습니다.

"나는 내가 할 바를 알았다. 나는 참고 구절을 찾아보겠다. 만일 내가 이런 말씀을 신약 성경에서도 찾는다면 이 말씀은 나와 교회에게 속한 것이다."

나는 시편 91편부터 시작했습니다. "장수함으로"라는 관주는 잠언으로 나를 인도했습니다. 그 때 그 말씀이 나를 깨우치기 시작했습니다. 잠언에서 나는 처음 귀로 들었던 그 음성이 하나님일 수가 없다는 것을 깨닫기 시작했습니다. 그 음성은 히브리서 9장 27절을 인용했습니다.

"한번 죽는 것은 사람에게 정해진 것이요 그 후에는 심판이 있으리니…"

그러나 잘못 해석했습니다. 마귀는 내가 말씀을 잘 모른다는 것을 알기 때문에 그 음성은 "모든 사람은 죽도록 정해진 때가 있다"고 말했습니다. 당신도 사람들이 늘 그렇게 말하는 것을 듣고 있습니다. 심지어 거듭난, 성령 충만 받은 그리스도인도 "당신의 때가 오면 당신은 죽게 될 것입니다"라고 말합니다.

이것은 사실이 아닙니다. 당신이 죽도록 정해진 때가 있는 것이 아닙니다.

나는 잠언에서 사람이 어떤 행위를 하면 살 날수가 짧아질 것이라는 것을 거듭 말하고 있는 것을 읽었습니다. 그러나 다른 어떤 행위를 하면 그 날수를 더할 것입니다.

나는 하나님의 말씀이 옳다는 것을 알았습니다. 비록 그 음성이 성경 한 구절을 뽑아 내어 말한다 하더라도 그것이 하나님일 수 없다는 것을 알았습니다. 왜냐하면 그 말이 그 나머지 하나님의 말씀과 일치하지 않았기 때문이었습니다.

나는 관주를 계속해서 찾아보았습니다. 신약 성경까지 보게 되었고 에베소서 6장 1-3절에 이르렀습니다. 그리고 베드로

전 · 후서까지 찾아보았습니다. 나는 바울과 베드로가 오래 사는 것에 관하여 구약 성경을 인용하고 있는 것을 발견하였습니다(벧전 3:8-12, 벧후 1:3).

나는 한 손에 성경을 들고 의자에서 벌떡 일어났습니다. 주먹을 휘두르며 발로 차며 이렇게 말했습니다.

"마귀야, 너는 여기서 나가라.

내게 말한 자가 바로 너였구나.

그 초자연적인 음성으로 내게 말했던 자가 너였구나.

내가 오늘 죽지 않으리라는 것을 네가 알기 원한다.

그리고 난 내일도 죽지 않을 것이다.

다음 주에도 죽지 않을 것이다!

다음 달에도 죽지 않을 것이다!

내년에도 죽지 않을 것이다!

5년 후에도 죽지 않을 것이다!

10년 후에도 죽지 않을 것이다!

15년 후에도 죽지 않을 것이다!

20년 후에도 죽지 않을 것이다!

25년 후에도 죽지 않을 것이다!

30년 후에도 죽지 않을 것이다!

50년 후에도 죽지 않을 것이다!

55년 후에도 죽지 않을 것이다!"

하나님의 말씀은 "장수하게 함으로 내가 너를 만족케 하겠다"(시 91:16)고 말하고 있습니다.

나는 내가 만족할 때까지 살게 될 것입니다!

21
나의 영? 육신? 아니면 성령님?

사람의 영혼은 여호와의 등불이라 사람의 깊은 속을 살피느니라 잠 20:27

어떤 사람은 이렇게 묻기도 할 것입니다.

"그 음성이 내 영의 음성인지 아니면 성령님께서 내게 무엇을 하라고 말씀하는 것인지 어떻게 알 수 있습니까?"

사람의 영은 주님의 촛불등불, candle입니다.

"그렇지만 내가 그것을 하고 싶어하기 때문에 바로 나 자신일 수도 있겠지요."

당신이 사용하는 용어를 정의하십시오. 만일 당신이 "나"라고 하는 것이 당신 육신을 의미한다면 당신은 항상 육신에게 순종해서는 안됩니다. 그러나 "나"라고 하는 것이 속사람 즉 실제 당신을 의미한다면 그 속사람에게 순종하는 것은 옳은 일입니다. 속사람이 하기를 원하는 것은 어서 하십시오.

당신의 영이 그리스도 안에서 새로운 피조물이 되었다면 모든 옛날 것들은 지나가 버렸으며 모든 것들은 새롭게 되었습니다. 당신의 영은 하나님의 생명과 본성을 가지고 있으며 성령님을 당신의 영 속에 가지고 있고 하나님과 교제하고 있습니다. 당신의 영은 옳지 않은 것을 당신에게 하라고 말하지 않을 것입니다. 만일 당신이 성령 충만함을 받은 그리스도인이라면 당신의 속사람은 성령을 그 충만한 상태로 소유하고 있습니다your inward man has the Holy Spirit in His fullness. 어떤 정도가 아니라 그의 충만함으로not in a measure, but in His fullness 당신 안에 성령님이 사시는 집을 만듭니다. 잘못을 행하기 원하는 것은 그리스도인의 속사람이 아니라 겉사람입니다. 당신은 육신이 원하는 것인지 영the spirit이 원하는 것인지 분별할 수 있어야만 합니다. 여기 많은 사람들이 수수께끼처럼 여기는 본문이 있습니다.

> 하나님께로부터 난 자마다 죄를 짓지 아니하나니 이는 하나님의 씨가 그의 속에 거함이요 그도 범죄하지 못하는 것은 하나님께로부터 났음이라 요일 3:9

이 본문은 속사람에 관하여 말하고 있습니다. 육체적으로 우리는 부모에게서 태어나 부모의 본성을 타고났습니다. 그러나 영적으로는 하나님으로부터 태어나 하나님의 본성을 타고났습니다. 하나님의 본성은 잘못을 행하는 본성이 아닙니다.

나는 그리스도인으로서 수많은 과실을 범했습니다 그러나 나의 속사람은 죄를 짓지 않았습니다. 나의 속사람은 내가 죄를 지을 때 내게 동의한 적조차 없습니다. 나의 속사람은 내가 그렇게 하지 않도록 애를 썼으며, 내가 죄를 지었을 때 나의 심령heart은 울었습니다.

나는 내 육신이 나를 지배하도록 허락하고 과실도 범했습니다만 내 영은 내 육신에게 동의한 적이 없었습니다. 하나님의 씨앗은 내 영에 있는 것이지, 내 육신에 있지 않습니다.

만일 당신의 육신이 당신을 지배하도록 계속 허락한다면 당신은 계속 과실을 범할 것입니다. 자연 상태의 마음natural mind이 당신을 지배하도록 계속 허락하고 말씀으로 마음을 새롭게 하지 않는다면 당신은 계속해서 과실을 범할 것입니다.

그것이 바울이 성령 충만을 받은 로마의 그리스도인들에게 두 가지를 하라고 한 이유입니다.

그들은 먼저 자신들의 몸을 드려야만 하고 두 번째로 말씀으로 마음을 새롭게 해야만 했습니다(롬 12:1~2).

마음이 하나님의 말씀으로 새롭게 되기 전까지는 육신과 새로워지지 않은 당신의 마음이 영을 지배할 것입니다. 이렇게 되면 당신은 어린아이 같은 육신에 속한 그리스도인a carnal Christian을 면치 못하게 될 것입니다. 바울은 고린도 교회에게 이렇게 말했습니다.

> 형제들아 내가 신령한 자들을 대함과 같이 너희에게 말할 수 없어서 육신에 속한 자 곧 그리스도 안에서 어린 아이들을 대함과 같이 하노라 고전 3:1

"아직도 너희는 육신에 속한 자로다"(3절)

어떤 번역본은 "아직도 너희는 몸이 지배하는 자들이구나"라고 했습니다. 그리고 나서 바울은 그들에게 말했습니다.

"너희는 사람으로 행하는구나you walk as men" 또 다른 번역본은 "너희는 그저 사람으로 행하는구나you walk as mere men"라고 말하고 있습니다.

바울은 무엇을 말하고 있습니까? 그들이 행하는 것walking, 사는 것이나 무엇을 하는 것doing thing이 구원받지 못한 사람들이 하는 것과 똑같다는 것입니다.

마음을 말씀으로 새롭게 하면 마음은 육체 대신에 영의 편에서게 될 것입니다. 그들 둘 즉 마음을 통하여 영your spirit through your mind이 몸을 통제하게 될 것입니다.

내 영은 잘못된 것을 내게 말하지 않을 것입니다. 내 영은 그 안에 하나님의 본성을 소유하고 있습니다. 하나님의 생명과 사랑을 가지고 있습니다. 하나님의 영을 가지고 있습니다.

> 이로써 그 보배롭고 지극히 큰 약속을 우리에게 주사 이 약속으로 말미암아 너희가 정욕때문에 세상에서 썩어질 것을 피하여 신성한 성품에 참여하는 자가 되게 하려 하셨느니라
>
> 벧후 1:4

우리는 하나님으로부터 태어났습니다born of God. 그리고 우리는 하나님의 말씀을 먹습니다. 그렇게 함으로써 우리는 하나님의 본성 즉 신적 성품the divine nature을 나눠 가진 자partakers가 됩니다. 우리가 신의 성품본성, nature을 가지고 있다면 우리 영은 우리에게 잘못된 것을 하라고 말하지 않을 것입니다. 당신 영이 당신에게 말하는 것은 무엇이든지 다 옳은 것입니다.

22

인식하는 나 I Perceive

여러 날이 걸려 금식하는 절기가 이미 지났으므로 항해하기가 위태한지라 바울이 그들을 권하여 말하되 여러분이여 내가 보니 이번 항해가 하물과 배만 아니라 우리 생명에도 타격과 많은 손해를 끼치리라 하되 행 27:9-10

바울은 "내가 보니I perceive…"라고 말했습니다. 그는 "나는 계시를 받아 가지고 있다"고 말하지 않고 "내가 보니"라고 말했습니다. 그는 어떻게 그것을 인식했을까요? 내적 증거로 알았습니다. 그는 정신적으로 또는 육체적으로 그것을 안 것이 아닙니다. 그는 영으로 알았습니다.

한 식구 일곱 명이 외식을 하러 갔습니다. 음식점에 들어간지 얼마 안되어 아버지가 갑자기 "자, 집으로 가자"고 말했습니다.

"왜요?"

"나도 모르겠다만 어쩐지 집에 가야만 한다는 생각a perception이 금방 드는구나."

그들은 서둘러 집으로 돌아왔습니다. 그 때 집에는 불이 막 나고 있었습니다. 지체했다면 모든 것은 불타버렸을 것입니다. 그러나 내적 증거가 적시에 그들에게 경고했던 것입니다. 만일 집이 불타버렸다면 누군가 이렇게 말할지도 모릅니다.

"하나님이 그렇게 하셨다. 하나님은 이 화재에 무슨 목적이 있을 거야."

아닙니다. 우리가 내부 즉 우리의 영을 주의해서 듣지 않았기 때문에 놓친 것입니다. 우리는 영을 의식하며 살아오지 않았습니다We have not been spirit - conscious. 하나님께서 이런 일들을 일으켜 하나님의 사람들을 가르치고 다스린다는 것은 성경 어디에서도 찾을 수 없습니다. 만일 그 배에 탔던 사람들이 바울의 말씀을 주의해서 들었더라면 배와 화물을 모두 구해낼 수 있었을 것입니다. 그렇지만 그들은 모든 것을 잃어버리고 그들의 목숨까지 거의 잃을 뻔하였습니다. 물론 그들이 바울의 말씀을 주의해 듣기 시작하지 않았더라면 목숨까지도 잃었을 것입니다.

하나님은 적이 아닙니다! 하나님은 우리를 도와주시려고 하십니다! 하나님은 우리가 안되도록 하시지 않습니다! 하나님은 우리를 위하여 일하시고 계십니다! 우리가 좀 더 영을 의식하게 되면 그 분과 더 잘 협력하는 법을 배울 수 있습니다.

하나님께서 자기 자녀들을 인도하시는 가장 우선적인 방법이 내적 증거에 의한 것임을 기억하십시오.

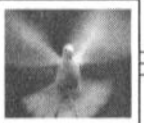

23

극적인 인도

아그립바 왕이여 그러므로 하늘에서 보이신 것을 내가 거스르지 아니하고 행 26:19

하나님은 초기의 믿는 자들을 인도하신 것과 똑같이 오늘도 우리를 인도하고 계십니다. 그 분의 말씀은 그 때와 마찬가지로 지금도 그대로 역사하십니다. 바뀌지 않았습니다. 하나님의 영도 바뀌지 않았습니다. 하나님은 변하지 않습니다.

초기의 믿는 자들이 세운 교회와 지금 우리가 세운 교회가 서로 다르다고 생각함으로써 큰 실수를 저질렀습니다. 우리는 그들이 있었던 시대와 똑같은 시대에 처해 있습니다. 우리는 모두 같은 교회에 속해 있으며 같은 성령을 가지고 있습니다. 그들은 우리가 소유하지 못한 많은 것들을 소유했던 것처럼 보여지고 있지만, 전혀 그렇지 않습니다.

> 무릇 하나님의 영으로 인도함을 받는 사람은 곧 하나님의 아들이라 롬 8:14

오늘날도 하나님의 아들들이 있습니다. 그리고 하나님의 영은 아직도 하나님의 아들들을 인도하고 계십니다. 하나님의 영이 그들을 어떻게 인도하시는지 보기 원한다면 사도행전과 성경의 다른 곳을 읽어보십시오. 때때로 어떤 이들은 환상을 통하여 안내를 받았으며, 또 어떤 이들은 천사로부터 직접 안내를 받았습니다.

그러나 이런 일은 이 사람들의 삶 가운데 날마다 일어났던 것이 아니었습니다. 이런 일의 대부분은 평생에 한 번 혹은 두 번 일어났던 것입니다. 그러므로 이런 것은 하나님께서 인도하시는 일반적인 방법이 아닙니다. 우리는 거의 매일 누군가에게 천사가 나타나서 할 바를 말했던 것 같은 인상을 받지만 사실은 그렇지 않습니다. 너무나도 많은 경우 하나님께서는 그의 말씀에 그렇게 하리라고 약속하신 그대로 우리를 안내해 주시려고 하며 또한 우리 영에 증거를 주시려고 하지만, 우리는 환상이나 천사가 나타나기를 원하기 때문에 잘 듣지 않습니다.

우리는 환상을 추구할 권리가 없으며 천사를 요구할 권리도 없습니다. 우리가 그래야 한다는 성경 말씀은 하나도 없습니다. 우리는 다만 성경이 약속한 것을 요구할 권리를 가지고 있을 뿐입니다. 하나님께서 천사를 보내시기 원하신다면 그렇게 할 수 있습니다. 하나님께서 환상을 주시기 원하신다면 환상을 주실 수도 있습니다.

대부분의 그리스도인들이 영적인 유아기 때 행하는 그대로 나도 젊은 사역자일 때 똑같은 일을 하였습니다. 나는 사람들이 환상과 천사들에 관해 이야기하는 것을 듣고 이와 비슷한 일이 내게도 일어나게 해달라고 기도했습니다. 하지만 그런 일은 일어나지 않았습니다.

그후 나는 영적으로 성숙해져서 이런 것을 기대하지도 않게 되었습니다. 물론 그런 일이 일어나게 해달라고 기도하지도 않았습니다.

1949년 어느 날 나는 마지막으로 사역하던 교회에서 기도하고 있었습니다. 그렇게 해야 한다는 내 영의 증거가 있어서 교회 안에 꼭 쳐박혀 하나님을 기다렸습니다. 그 때 내 영이 아니라 성령님께서 내게 말씀하셨습니다. 성령님께서 말씀하신 것을 내가 말하기 전에 나와 함께 다음 성경 말씀을 보고 베드로가 어떻게 환상을 보았으며 그 후 하나님의 성령의 음성에 의해 어떻게 인도 받았는지 살펴봅시다.

> 이튿날 그들이 길을 가다가 그 성에 가까이 갔을 그 때에 베드로가 기도하려고 지붕에 올라가니 그 시각은 제 육 시더라 그가 시장하여 먹고자 하매 사람들이 준비할 때에 황홀한 중에 하늘이 열리며 한 그릇이 내려오는 것을 보니 큰 보자기 같고 네 귀를 매어 땅에 드리웠더라 　　　　　행 10:9-11

하나님께서는 베드로에게 환상을 통해 그가 이방인들을 데려올 것을 보여주었습니다. 이제 19절로 건너뜁니다.

> 베드로가 그 환상에 대하여 생각할 때에 성령께서 그에게 말씀하시되 두 사람이 너를 찾으니 일어나 내려가 의심하지 말고 함께 가라 내가 그들을 보내었느니라 하시니 　　　행 10:19-20

이 사람들은 고넬료의 집에서 온 두 남자였습니다. 베드로는 가이사랴에 있는 고넬료의 집에 가서 이방인들에게 설교를 한 후 성경이 "베드로가 예루살렘에 올라갔을 때에 할례자들이 비난하여"(행 11:2)라고 말했듯이 예루살렘에 올라갔습니다. 사도행전 11장에서 베드로는 사도행전 10장에서 그에게 일어났던 것을 다시 재현하고 있습니다.

> 마침 세 사람이 내가 유숙한 집 앞에 서 있으니 가이사랴에서 내게로 보낸 사람이라 성령이 내게 명하사 아무 의심 말고 함께 가라 하시매 이 여섯 형제도 나와 함께 가서 그 사람의 집에 들어가니 행 11:11-12

성령님께서 베드로에게 말씀하셨습니다. 베드로는 그에게 말한 사람이 누군지 알아보려고 주위를 둘러보았을 것입니다. 그는 하나님의 영이 그에게 가라고 명하셨다는 것을 알았습니다. 성령님은 내가 교회에서 기다리고 있는 동안 내게 말씀하셨습니다.

성령님은 "내가 너를 계시와 환상으로 인도하려고 한다"고 말씀하셨습니다. 성경과 벗어난 무엇을 말하고 있는 것이 아니라 말씀과 일치하는 계시들이 나타나기 시작했습니다. 1950년도에는 환상이 나타나기 시작했습니다. 예수님 자신께서 몸소 제게 나타나셔서 여러 차례 말씀하셨습니다. 물론 다른 환상들도 있었습니다.

24

나를 가라고 하신 성령님

안디옥 교회에 선지자들과 교사들이 있으니 곧 바나바와 니게르라 하는 시므온과 구레네 사람 루기오와 분봉 왕 헤롯의 젖동생 마나엔과 및 사울이라 주를 섬겨 금식할 때에 성령이 이르시되 내가 불러 시키는 일을 위하여 바나바와 사울을 따로 세우라 하시니 행 13:1-2

성령님께서 말씀하셨습니다.

무엇보다도 어떤 상황 하에서 성령님께서 무엇을 말씀하셨는지를 아는 것도 흥미로운 일입니다.

"주를 섬겨 금식할 때에 성령이 이르시되…"

우리는 주님을 섬기는minister to the Lord 예배를 드릴 필요가 있다고 확신합니다. 너무 자주 우리는 우리끼리만 서로 섬깁니다. 성경 공부는 좋은 것입니다. 성경 공부도 필요하고 특별한 찬양도 좋습니다. 그러나 많은 경우 우리는 주님께 찬양을 드리지 않고 회중에게 찬양을 드립니다. 주님을 섬기며 주님께 시중들며 기다리는wait on Him 예배를 드리도록 합시다. 그런 분위기 속에서 성령님은 우리에게 말씀하실 수 있습니다.

이 경우는 다섯 명의 사역자들의 모임이었습니다. 성령님께서 그들에게 어떻게 말씀하셨는지 나는 알지 못합니다. 선지자 중에 한 사람이 말했을 수도 있습니다. 그러나 한 가지 확신하는 것은 그들 모두 듣고 나서 성령님께서 말씀하고 계신다는데 동의했다는 것입니다.

성령님께서 말씀하셨습니다.

"내가 불러 시키는 일을 위하여 바나바와 사울을 따로 세우라"(행 13:2).

베드로는 "성령님이 내게 명하사 …"(행 11:12)라고 했습니다.

내가 사역을 시작한 지 수년 후에 죽음이 찾아와 내 몸을 움직일 수 없게 하였습니다. 나는 죽음이 찾아온 경우를 압니다. 나는 두 번을 죽었다가 다시 살아났기 때문에 나는 죽음이 찾아오면 어떤 기분이 드는지 압니다. 하나님의 영이 내게 찾아와 나를 들어올렸을 때 실제로 나는 죽음의 팔 안으로 빠져 들어가기 시작했었습니다.

그 때 한 음성이 말하는 것을 들었습니다. 그 음성은 귀로 들을 수 있는 것이었습니다. 나는 그 음성이 예수님이었다고 믿습니다. 그것이 성령님이 말하는 것임을 알았습니다. 성령님께서는 자기 자신의 것을 말하지 않고 그가 무엇을 듣든지 그 들은 것을 말할 것이라고 우리는 이미 배웠습니다. 즉 성령님은 하나님이나 예수님이 말하시는 것을 듣고 그것을 따라 그대로 말씀하십니다. 그 음성은 남자의 목소리 같이 들렸습니다. 그는 말했습니다.

"너는 죽지 않고 살게 될 것이다. 나는 네가 가서 나의 백성에게 믿음을 가르치기 바란다. 나는 내 말씀을 통해 네게 믿음을 가르쳤다. 나는 네가 어떤 경험들을 겪도록 허락했다. 너는 내 말씀과 경험을 통해 믿음을 배웠다. 이제 가서 내가 네게 가르쳐 준 것을 내 백성에게 가르쳐라. 가서 내 백성에게 믿음을 가르쳐라."

이 음성이 말하기를 마치는 순간 나는 완전히 건강해졌습니다. 나는 이 하늘에서 들린 음성에 순종하려고 노력해왔습니다. 이것이 내가 믿음에 관하여 그렇게 많이 가르치는 이유이며 내가 해야 할 일입니다.

1959년에는 텍사스 엘파소에서 예수님이 내게 나타나셨습니다. 이 환상 가운데서 예수님은 내게 "가서 내 백성에게 어떻게 나의 영으로 인도 받는지를 가르쳐라"고 말씀하셨습니다. 나는 이것에 관해서는 지체해왔습니다. 그러나 이제부터는 좀 더 이것을 가르치려고 합니다. 그래서 이 책을 쓰게 된 것입니다.

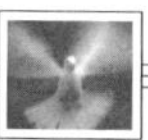

25

예언을 통한 안내

사랑을 추구하며 신령한 것들을 사모하되 특별히 예언을 하려고 하라 고전 14:1

다 사도이겠느냐 다 선지자이겠느냐 다 교사이겠느냐 다 능력을 행하는 자이겠느냐 고전 12:29

바울은 에베소 교회의 장로들에게 그의 고별사를 전하고 있습니다.

보라 이제 나는 심령에 매여 예루살렘으로 가는데 거기서 무슨 일을 당할는지 알지 못하노라 오직 성령이 각 성에서 내게

증언하여 결박과 환난이 나를 기다린다 하시나 행 20:22-23

그리고 21장에서 바울은 여행 중 배가 짐을 내렸던 두로에 상륙하였습니다. 사도행전을 쓴 누가는 바울과 함께 있었습니다. 누가는 이렇게 썼습니다.

제자들을 찾아 거기서 이레를 머물더니 그 제자들이 성령의 감동으로 바울더러 예루살렘에 들어가지 말라 하더라 행 21:4

바울은 여행을 계속했습니다.

이튿날 떠나 가이사랴에 이르러 일곱 집사 중 하나인 전도자 빌립의 집에 들어가서 머무르니라 그에게 딸 넷이 있으니 처녀로 예언하는 자라 여러 날 머물러 있더니 아가보라 하는 한 선지자가 유대로부터 내려와 우리에게 와서 바울의 띠를 가져다가 자기 수족을 잡아매고 말하기를 성령이 말씀하시되 예루살렘에서 유대인들이 이같이 이 띠 임자를 결박하여 이방인의 손에 넘겨주리라 하거늘 우리가 그 말을 듣고 그 곳 사람들로 더불어 바울에게 예루살렘으로 올라가지 말라 권하니 바울이 대답하되 여러분이 어찌하여 울어 내 마음을 상하게 하느냐 나는 주 예수의 이름을 위하여 결박 당할 뿐 아니라 예루살렘에서 죽을 것도 각오하였노라 하니 그가 권함을 받지 아니하므로 우리가 주의 뜻대로 이루어지이다 하고 그쳤노라

행 21:8-14

어떤 사람들은 바울이 인도를 잘못 받았다고 생각했습니다. 그러나 바울이 예루살렘에 올라가 구속되었을 때 예수님께서는 밤에 바울 곁에 서 계셨습니다. 예수님은 환상 가운데 그에게 나타났습니다.

예수님은 바울을 책망하지 않으셨습니다. 예수님은 바울에게 그가 잘못 인도받았다고 말씀하지 않으셨습니다. "그 날 밤에 주께서 바울 곁에 서서 이르시되 담대하라 네가 예루살렘에서 나의 일을 증언한 것같이 로마에서도 증언하여야 하리라 하시니라"(행 23:11)라고 말씀하셨습니다.

바울이 인도를 잘못 받은 것이 아닙니다. 하나님께서 하고 계셨던 것은 바울로 하여금 그 앞에 있을 것에 대해 준비하도록 하신 것입니다. 우리는 여기서 두 가지 다른 것들이 행해지고 있는 것을 볼 수 있습니다.

(1) 예언의 은사

(2) 선지자적 사역

이 둘은 서로 다른 것입니다. 똑같은 것이 아닙니다. 이 두 가지를 혼동하는 실수가 흔히 행해지고 있습니다.

어떤 사람이 예언을 한다는 사실이 그를 선지자로 만들지는 않습니다. 하나님의 말씀은 분명하게 누구든지 예언하기를 사모하라고 가르치고 있습니다(고전 14:1). 그렇지만 예언하는 것이 당신을 선지자로 만든다면 주님께서는 누구든지 선지자가 되기를 사모하라고 말씀하셨어야 할 것입니다. 그러나 바울은 묻습니다.

"모두 사도가 되겠느냐 모두 선지자가 되겠느냐…"(고전 12:29)

대답은 물론 "아니다" 입니다. 모두 선지자가 될 수 없기 때문에 하나님께서는 우리에게 우리가 될 수 없는 무엇이 되도록 하라고 말씀하지 않습니다.

단순한 예언의 은사는 덕을 세우고 권면하고 위로하기 위하여 사람에게 말하는 것입니다(고전 14:3).

예언은 아는 언어 즉 당신 자신의 말로 초자연적으로 말하는 것입니다(방언을 말하는 것은 알지 못하는 언어 즉 당신이 모르는 말로 초자연적으로 말하는 것입니다). 예언은 방언 기도할 때는 물론이고 기도 중에도 나타나곤 합니다. 때때로 예언할 때 두 사람이 있는 것처럼 느껴지기도 합니다. 마치 내가 내 자신 바로 옆에 서있는 것 같이 느낍니다. 예언은 하나님의 영이 살고 있는 속사람으로부터 나옵니다. 나는 내 귀를 통해 성령님께서 말하는 것을 주의해 듣습니다.

선지자직 the office or the prophet

선지자직이라는 것이 있습니다. 이에 대해서는 간단하게 다루기로 하겠습니다. 선지자가 되기 위해서는 선지자의 직임을 받고 그 사역을 하고 있어야 합니다. 예언 이외에 영적인 은사들이 사역에 수반되어야만 합니다. 앞서 말한 단순한 예언의 은사는 덕을 세우고 권면하고 위로하기 위한 것으로 예언의 은사에는 소위 장래를 미리 말해주는 것foretelling, 즉 예언prediction은 없는 것입니다. 그러나 선지자의 사역 가운데는 미래에 대한 예언이 있습니다. 선지자는 계시의 은사들(지혜의 말씀, 지식의 말씀, 혹은 영들 분별함)을 예언과 함께 사용합니다.

자연적인 것이 오용되는 것과 똑같이 영적인 것도 오용된다는 것을 아는 것은 매우 중요합니다. 어떤 사람들은 이것을 결코 깨닫지 못하여 영적인 것이라는 이유만으로 그것은 완전한 것이어야 하며 오용될 수 없다고 생각합니다.

한때는 부자였던 사람들이 예언하는 사람의 말을 듣고서 돈을 어디에다 투자해야 할지를 결정했다가 파산한 경우들을 알고 있습니다. 집회에 참석했던 한 사람이 있었는데, 나는 그를 알고는 있었지만 실제로 어떤 사람인지는 잘 몰랐습니다. 그는 예언자에게 예언을 받기 전에는 결코 중요한 사업상의 결정을 하지 않는다는 것이었습니다.

"이것을 당신께 말해야 될 것 같습니다. 당신에게 조언하는 사람이 누구든지 그들의 말에 계속 귀 기울인다면 당신은 가진 모든 것을 잃어버리게 될 것입니다."

그는 내 말을 귀담아 듣지 않았습니다. 아주 부자였던 이 불쌍한 친구는 그의 모든 소유와 집까지 날려 버렸습니다. 나는 이런 일을 여러 번 보았습니다. 심지어 목회자들도 잘못된 예언 때문에 자신들의 사역을 망친 것을 많이 보아왔습니다.

첫째로, 당신은 예언을 하나님의 말씀으로 판단해야만 합니다. 만일 예언이 하나님의 말씀과 일치하지 않는다면 그것은 옳은 것이 아닙니다.

둘째로, 개인 예언은 당신 자신의 영 안에 가지고 있는 것으로 당신이 판단해야 합니다. 만일 당신이 당신 영 안에 무엇인가가 없다면 개인적인 예언은 받아들이지 마십시오. 수년 동안 사역을 하면서 어디를 가든지 가는 곳마다 나를 위해 주님으로부터 한 "말씀"을 받았다는(때로는 두 세 가지의 말씀까지도)

사람들이 늘 있었습니다. 오랫동안 그 수많은 "말씀" 중에 한 두 마디만 옳았습니다.

예언들 위에 당신의 인생을 세우지 마십시오. 예언에 의해 당신의 삶을 인도 받지 마십시오. 당신의 삶을 하나님의 말씀 위에 건축하십시오! 다른 것들은 모두 이차적인 것이 되게 하십시오. 하나님의 말씀을 최우선으로 여기십시오!

사람들은 가끔 "그렇지만 하나님께서 하시는 것인데 맞지 않겠습니까?"라고 말합니다.

그러나 그것은 정확히 말하면 하나님께서 하시는 일이 아니라는 것을 깨달아야 합니다. 하나님의 성령의 영감 아래에서 사람들이 예언을 하는 것입니다. 사람이 하는 일은 무엇이든지 완전하지 않습니다. 그러나 하나님의 영은 완전합니다. 성령의 은사들 그 자체로는 완전하지만 그것이 불완전한 그릇들을 통하여 나타나기 때문에 성령의 은사들은 완전한 상태로 나타나지 않습니다. 이것이 바로 예언과 방언 통역이 말씀으로 판단되어야만 하는 이유입니다.

> 예언하는 자는 둘이나 셋이나 말하고 다른 이들은 분별할 것이요 만일 곁에 앉아 있는 다른 이에게 계시가 있으면 먼저 하던 자는 잠잠할지니라 고전 14:29-30

"예언하는 자는 말하고 …"

성경이 여기서 말하는 바는 선지자를 일컫는 것이지, 예언을 하는 사람 모두를 지칭하는 것이 아닙니다. 선지자가 말한 것이라고 무조건 받아들이지는 마십시오. 예언은 성경에 의해 판단되어야 합니다. 우리는 사람을 판단하지는 않지만 사람이 한 말은 판단해야 합니다.

30절을 보십시오.

"다른 이(선지자)에게 계시가 있으면 …"

선지자들은 계시를 받은 것이 있고 그 계시를 따라 사역을 하는 사람들입니다.

예언하는 자들의 영은 예언하는 자들에게 제재를 받나니

고전 14:32

어떤 이들은 "하나님께서 내게 그렇게 하도록 말씀하셨기 때문에 그 말을 하지 않을 수 없었습니다"라고 말합니다. 예언하는 자(선지자)의 영은 예언하는 사람, 바로 그 사람 자신에 의해 제재 받습니다. 예언은 그 사람의 영에서 나온 것입니다. 방언의 은사, 방언 통역, 예언은 성령의 기름부음 아래서만 나타납니다.

이런 방법을 통하여 하나님께서는 지식의 말씀, 지혜의 말씀이나 계시가 필요할 때 우리에게 주시는 것입니다. 그러나 예언의 말은 우리가 시작해야 하는 것입니다We initiate the operation of prophecy. 방언을 말하는 것과 방언의 통역도 우리가 시작하는 것입니다. 그것을 말해야 하는 사람은 우리들입니다.

하나님의 영이 역사할 때는 수많은 사람이 예언할 수 있었습니다만 그렇다고 누구나 예언을 해야만 한다는 것을 의미하는 것은 아닙니다. 또한 성령님께서 자신을 나타내시는 사역의 도구로서 방언과 방언 통역The ministry gift tonges and interpretation을 받은 사람은 누구나 말할 수 있습니다. 그러나 모두가 반드시 말을 해야만 한다는 것을 의미하지는 않습니다. 성령님의 감동unction이 말하도록 하지 않으면 하나님께 감동을 받은 다른 사람을 통해 역사하시도록 하십시오.

수년 전에 나는 한 교회에서 7주 동안 집회를 열게 되었는데 매일 밤 같은 시간, 같은 자리에서 헌금 시간이 되기만 하면 한 여자가 일어나서 방언으로 말을 했습니다. 그녀는 매일 밤 방언으로 똑같은 것을 반복해서 말했으므로 얼마 후에는 나도 그녀가 말한 것을 똑같이 흉내낼 수 있을 정도였습니다. 아무도 통역하는 자가 없으면 그녀가 하곤 했습니다. 그럴 때는 마치 누군가가 찬 물을 회중에게 퍼붓는 것 같았고 이런 그녀의 행위는 예배를 죽이는 것이었습니다.

어느 주일 아침, 그 교회의 목사님은 내게 성경을 가르쳐 줄 것을 부탁했습니다. 나는 끝종이 울리기 전에 강의를 마쳤습니다. 집사 중에 한 사람이 말했습니다.

"해긴 형제, 내가 질문 하나 해도 되겠습니까?"

"네, 그러시지요."

내가 가르친 것에 관한 질문이려니 하고 생각했습니다.

"방언과 통역을 통해 메시지가 공적 예배 시에 주어졌을 때 그것이 회중들에게 축복이 되어야만 하지 않습니까? 그것이 예배를 죽여서야 되겠습니까?"

그 여자는 바로 내 앞에 앉아 있었습니다.

"그것은 오늘 공부한 것 밖의 질문이군요. 지금 이 문제를 거론하고 싶지는 않군요."

그러나 다른 그 교회의 지도자들이 말했습니다.

"해긴 형제, 우리는 답변을 들어야만 합니다."

"만일 그것이 성령 안에서 행해진다면 그것은 반드시 예배 분위기를 고양시켜 줄 것입니다. 예배 분위기를 가라앉게 하지 않을 것입니다."

그 여자는 지성이 있었기 때문에 이 말을 깨달았습니다.

"제가 그 동안 잘못했었군요. 그렇잖습니까?"

"네 부인, 그렇습니다."

"저도 늘 그렇게 생각했습니다. 내 안에 그것을 아는 증거가 있었습니다. 그렇지만 나는 하나님께 사용되기를 바랐습니다. 이제부터는 그렇게 하지 않겠습니다."

"고맙습니다. 당신은 정말 이 교회의 축복입니다."

이런 경우 어떤 사람들은 "사람들이 하나님이 역사하는 것을 허락하지 않는다"고 말하면서 화를 낼지도 모릅니다.

가끔 어떤 사람들은 이 여자처럼 성령의 감동도 없는데 말을 합니다. 이 말은 그녀의 방언이 진짜라는 사실을 부인하는 것이 아닙니다. 방언은 완전하였지만, 그 방언은 잘못 사용되었던 것입니다.

나는 사람들에게 개인을 위한 예언personal prophecies에 관해서는 매우 조심하라고 권면합니다. 개인 예언에 관하여 조심하지 않음으로써 너무도 많은 사람들의 삶이 난파당하고 망치게 되었습니다.

누가 당신에게 결혼하라고 예언한다고 해서 결혼하지 마십시오. 나는 수년 동안 소위 그런 "예언들"을 보아왔지만 그런 결혼이 하나도 잘 되는 것을 본 적이 없습니다. 소위 예언 때문에 가정들이 파괴되었습니다.

또한 누군가 당신에게 목회자가 되라고 예언한다고 사역에 뛰어들지 마십시오. 당신 스스로 당신의 내부로부터 그런 부르심을 찾아내십시오Get it on the inside of you. 만일 예언이 당신 속에 이미 가지고 있는 것과 같을 때는 받아들이고 그렇지 않으면 받아들이지 마십시오(이미 당신 속에 가지고 있던 것을 확신시키는 경우만 받아들이십시오).

성령님은 말씀하셨습니다.

> 주를 섬겨 금식할 때에 성령이 이르시되 내가 불러 시키는 일 For the work to which I have called them을 위하여 바나바와 사울을 따로 세우라 하시니 행 13:2

성령님은 이미 그들을 부르셨습니다. 예언은 단지 그것을 재확인하는 것일 뿐입니다.

내가 목회하던 마지막 교회에는 영적으로 아름다운 한 청년이 있었습니다. 나의 아내는 내게 "주님의 손이 그의 위에 있는 것을 믿습니다. 하나님께서 그를 목회자로 부르시고 있습니다" 라고 말했습니다.

"나에게도 같은 확신이 있습니다. 그가 부르심을 받은 것을 알지만 나는 아무에게도 그가 부르심을 받았다고 말하지는 않을 것입니다."

어떤 사람들이 부르심 받은 것을 안다해도 나는 아무에게도 그들이 부르심 받았다고 말하지 않을 것입니다. 그 이유는 이렇습니다.

어떤 사람이 목회를 시작하게 되면 목회가 늘 쉬운 것은 아닙니다. 바울은 젊은 사역자인 디모데에게 "좋은 군사로 고난을 받으라"(딤후 2:3)고 했습니다. 일이 어려워질 때도 있습니다. 그러나 당신은 또한 승리할 것입니다. 그렇지만 사역이 어려워지게 되면 부르심에 확신이 없는 사람은 "나는 아내의 말 때문에 이 길을 갔을 뿐인데…" 혹은 "나는 부름받았다는 것을 몰랐습니다. 그러나 누군가 내게 예언을 했습니다"라고 말하게 될지도 모릅니다. 그러나 자기 영으로부터 헌신을 결단한 사람, 즉 하나님께서 그를 부르셨다는 것을 아는 사람은 지옥이나 풍랑까지도 이겨낼 것입니다. 그래서 나는 이 젊은이에게 아무 말도 하지 않았습니다.

그러던 어느 주일 밤 우리는 모두 제단 주위에서 기도하고 있었습니다. 나는 하나님께서 나를 인도하시는 대로 사람들에게 기도해 주려고 손을 얹었습니다. 나는 제단 옆에서 강하게 기도하며 무릎을 꿇고 있는 이 젊은이 곁에 멈추어 섰습니다. 내가 기도하려고 입을 열었을 때 이런 말들이 나오는 것을 들었습니다.

"이것은 오늘 오후 3시에 폭풍 대피소에서 네게 말한 것에 대해 확인 시켜주는 것이다. 네가 내게 확인을 요청했는데 이것이 그 확인이다. 그것은 내가 너에게 말한 것이다."

기도회를 마친 후 내가 물었습니다.

"자네, 오늘 오후 3시에 폭풍 대피소에서 기도하고 있었나?" (나는 내가 혹시 틀렸는지 점검하고 싶었습니다. 나는 바르게 하는 것을 원합니다. 내가 잘못했을 경우에는 그 사실을 "내가 틀렸습니다"라고 하며 받아들입니다. "내가 틀렸습니다"라고 말하는 것을 두려워하지 말기 바랍니다. 내가 처음 운전을 배울 때 몇 번 실수를 했고 도로변 커브를 넘어가기도 했습니다. 그렇지만 내가 몇 번 운전을 잘못했다고 운전 배우기를 중단하지는 않았습니다. 이처럼 우리는 영적인 것에 대해서도 이만큼의 지각은 있어야만 합니다. 내가 실수를 좀 했다는 이유만으로 포기하지는 않을 것입니다. 나는 계속합니다. 단지 다음에는 다시 잘못하지 않게 되기를 바라는 것입니다. 그래서 확인해 보려고 점검을 해 본 것입니다.)

이 젊은이는 말했습니다.

"네, 기도하고 있었습니다. 해긴 형제님, 지난 얼마 동안 나의 삶에 하나님의 부르심이 있다는 것을 느껴왔지만 나는 주님께 가부간에 아무 말도 하지 않았습니다. 그래서 지하 폭풍 대피소(이것은 좋은 지하실처럼 꾸며져 있는 곳이었습니다)에서 하나님을 기다리면서 기도하고 묵상하며 성경을 읽고 있었습니다. 주님께서 '나는 너를 사역으로 불렀다. 내가 오늘 저녁 예배 때 확인을 해 줄 것이다' 라고 말씀하시는 것을 느꼈습니다. 그러나 어떻게 확인시켜 주실지는 몰랐습니다."

기억하십시오. 그것이 당신이 이미 가지고 있는 무엇을 확인시켜 주거나 증거를 주지 않는다면if it does not bear witness 개인 예언은 받아들이지 마십시오.

예언의 은사가 사람들을 세워주고 권면하고 위로하는 영역에만 머무른다면 매우 좋은 것입니다. 그렇게 하도록 격려할 일입니다. 그러나 많은 경우에 예언을 하는 사람은 어떤 선지자가 장래를 예언하는 것을 보게 됩니다. 그러면 그는 "나도 예언을 한다. 그러니까 나도 저렇게 할 수 있어"라고 생각하기 시작합니다. 그리고 그는 자기가 있어야 할 자리를 벗어나 가서는 안 될 영역으로 들어가 버리게 됩니다.

털사에서 열린 나의 세미나에서 한 여자가 내게 다가왔습니다. 그녀는 그룹으로 참석하고 있었습니다.

"해긴 형제, 우리 마을에 매주 기도 모임이 있습니다. 이 기도회에 대해 형제님께 여쭈어 볼 것이 있습니다. 어떤 이들은 내가 틀렸다고 생각하지만 나는 우리가 하고 있는 것이 옳다고 생각하지 않습니다. 사실 이것을 기도 모임이라고 불러도 좋을지 모르겠습니다. 그들이 하는 것이라고는 서로에게 안수하고 예언을 하는 것입니다. 그들은 오후 내내 손을 얹고 서로 예언을 하는데 시간을 보냅니다. 나는 언제나 나쁜 내용의 예언을 받았습니다. 그들은 예언하기를 나의 어머니가 6개월 내에 죽을 것이라고 했습니다. 그 때가 18개월 전인데 어머니는 아직도 죽지 않았습니다. 그리고 그들은 내 남편이 나를 버리고 떠날 것이라고 예언했습니다. 그는 구원은 받지 못했지만 좋은 사람이고 나도 그이를 사랑합니다. 그는 나의 필요를 잘 공급하고 있습니다. 우리는 다른 아무 문제도 없는 부부입니다. 이것은 불과 두 가지 예에 지나지 않습니다. 나는 항상 나쁜 일이 일어날 것이라는 예언을 받았지만 아무 일도 일어나지 않았습니다."

"물론 나쁜 일은 일어나지 않을 것입니다. 당신은 하나님의 자녀입니다."

"그것은 예언을 잘못 사용하고 있는 것이 아닌가요?"

"네, 그렇습니다."

우리는 이런 것들을 알고 있어야 합니다. 어린 아이들은 잘못 인도를 받거나 안내되기 쉽습니다. 우리도 트랙을 벗어날 수 있습니다. 그래서 바울은 이것에 관하여 고린도의 교회에 편지를 써 보냈습니다.

26

환상을 통한 안내

가이사랴에 고넬료라 하는 사람이 있으니 이달리야 부대라 하는 군대의 백부장이라 그가 경건하여 온 집안과 더불어 하나님을 경외하며 백성을 많이 구제하고 하나님께 항상 기도하더니 하루는 제 구 시쯤 되어 환상 중에 밝히 보매 하나님의 사자가 들어와 이르되 고넬료야 하니 행 10:1-3

가끔 하나님께서는 환상을 통해 인도하십니다.

고넬료는 경건한 사람이었지만 거듭나지는 않았습니다. 그는 예수님을 몰랐으며 유대교 개종자a Jewish proselyte였습니다. 환상 가운데 나타난 천사는 그에게 복음을 전할 수 없었습니다. 하나님은 천사들이 아니라 바로 사람들을 복음 전하는 자로

부르셨기 때문입니다. 그러나 그 천사는 고넬료에게 어떻게 하면 구원받을 수 있는지 말해 줄 사람을 만나려면 어디로 가야 할지를 말해 주었습니다. 고넬료는 환상 중에 한 천사를 보았습니다.

천사들도 하나님이 허락하시면 당신이 육체를 가진 사람을 볼 수 있듯이 육체의 눈으로 볼 수 있도록 자신들을 나타낼 능력을 가지고 있습니다.

> 손님 대접하기를 잊지 말라 이로써 부지중에 천사들을 대접한 이들이 있었느니라 히 13:2

성경은 고넬료의 체험을 환상이라고 부르고 있습니다(행 10:3).

그것은 영적인 환상a spiritual vision이었습니다. 고넬료는 영적 세계를 들여다 보았습니다. 영의 세계에는 천사들이 있습니다. 만일 다른 사람들이 거기 있었다해도 그들은 아무것도 보지 못했을 것입니다. 그렇지만 만약 천사가 보이는 형체를 입었다면 누구든지 볼 수 있었을 것입니다.

환상에는 영적 환상, 몽환의 경지trance, 황홀경, 혼수상태, 의식불명, 열린 환상open vision 이렇게 세 가지가 있습니다.

영적 환상에서는 육체의 눈이 아니라 영의 눈으로 보는 것입니다. 사도행전 9장에서 바울이 주님을 보았을 때 그것은 영적 환상이었습니다. 그는 육체의 눈으로 주님을 보지 않았습니다.

> 사울이 땅에서 일어나 눈은 떴으나 아무 것도 보지 못하고 사람의 손에 끌려 다메섹으로 들어가서 행 9:8

주님께서 사울에게 말씀하셨을 때 그의 눈은 감겨져 있었습니다. 그러므로 바울이 무엇을 보았든지 그는 육체의 눈으로 본 것은 아니었습니다. 우리가 이 사실을 알 수 있는 것은 성경이 그의 눈이 열렸을 때라고 말하고 있기 때문입니다. 그는 눈이 멀었었습니다.

두 번째 종류의 환상은 사람이 몽환의 경지에 들어갈 때입니다. 고넬료는 이 상태에 빠진 것이 아니었고 베드로는 이 상태에 들어갔습니다.

> 이튿날 그들이 길을 가다가 그 성에 가까이 갔을 그 때에 베드로가 기도하려고 지붕에 올라가니 그 시각은 제 육 시더라 그가 시장하여 먹고자 하매 사람들이 준비할 때에 황홀한 중에
> 행 10:9-10

사람이 이 몽환의 경지에 들어가게 되면 육체적 감각은 일시적으로 멈추게 됩니다. 그 순간 자신이 어디에 있는지도 모릅니다. 의식이 없는 것은 아니지만 자기 주변에서 어떤 일들이 일어나고 있는지 알지 못합니다. 이 때에는 육체적인 것보다 영적인 것을 더 의식하게 됩니다.

세 번째 종류의 환상을 나는 '열린 환상open vision' 이라고 부릅니다. 1950년 엘파소(이 책에서 내가 이미 언급한 곳)에서 일어났던 환상은 열린 환상이었습니다. 나는 눈을 크게 뜨고 있었고 육체의 감각도 그대로 있었습니다. 몽환의 경지에 빠진 것도 아니었습니다. 예수님께서 내 방으로 걸어들어 오셨습니다. 나는 예수님을 육체의 눈으로 보았습니다. 내가 경험한 모든 환상들 중에 오직 두 번만이 열린 환상이었습니다. 세 번의 환상은 몽환의 경지에 빠져서였고 나머지는 영적 환상이었습니다.

사도행전에 보면 여러 형태의 환상이 나옵니다. 지금도 여러 형태의 환상이 있습니다. 예를 들면 환상 가운데 나오는 것들은 때로는 상징적입니다. 베드로는 환상에서 깨끗하거나 그렇지 않거나 온갖 모양으로 기어다니는 것들을 보았는데 이것들은 상징적인 것이었습니다. 그는 환상을 이해하기 위해서 많은 생각을 해보아야만 했습니다(행 10:19). 그가 환상에 대해서 깊이 생각하고 있을 때 성령님께서 그에게 찾아온 세 사람과 함께 고넬료의 집으로 가라고 지시하였습니다. 베드로는 그때까지도 환상이 정확히 무엇을 의미하는지는 몰랐었지만 그가 갔을 때 일은 일어났고 그는 하나님께서 유대인들은 물론 이방인까지도 불러 구원에 이를 수 있게 하셨다는 것을 이해하기 시작했습니다.

> 주의 사자가 빌립더러 말하여 이르되 일어나서 남쪽으로 향하여 예루살렘에서 가사로 내려가는 길까지 가라 하니 그 길은 광야라 일어나 가서 보니 에디오피아 사람 곧 에디오피아 여왕 간다게의 모든 국고를 맡은 관리인 내시가 예배하러 예루살렘에 왔다가 돌아가는데 수레를 타고 선지자 이사야의 글을 읽더라 성령이 빌립더러 이르시되 이 수레로 가까이 나아가라 하시거늘 행 8:26-29

어떤 사람들은 베드로 같은 사도에게 하나님께서 말씀하셨다는 것은 인정하지만 그런 하나님의 방문divine visitation은 사도들에게만 일어났던 것이라고 말합니다. 그러나 빌립은 사도가 아니었습니다. 그는 집사였으며(행 6:5) 그가 담당했던 가장 높은 직임은office 복음 전하는 자an evangelist의 직분이었습니다(행 21:8).

"그런 것들은 사도들에게만 해당되는 것이다. 신약성경의 사도들이 죽을 때 모두 끝난 것이다"라고 말하면서 초자연적인 것들에 대해 책을 덮어버림으로 우리가 축복과 초자연적인 나타남을 잃어버린 것은 슬픈 일이 아닙니까?

> 그 때에 다메섹에 아나니아라 하는 제자가 있더니 주께서 환상 중에 불러 이르시되 아나니아야 하시거늘 대답하되 주여 내가 여기 있나이다 하니 주께서 이르시되 일어나 직가라 하는 거리로 가서 유다의 집에서 다소 사람 사울이라 하는 사람을 찾으라 그가 기도하는 중이니라 그가 아나니아라 하는 사람이 들어와서 자기에게 안수하여 다시 보게 하는 것을 보았느니라 하시거늘 행 9:10-12

아나니아는 집사가 아니었습니다. 그는 단지 제자일 뿐, 소위 평신도였습니다. 그래도 주님은 그를 사용하셨습니다. 하나님께서 적합하다고 여기실 때에 우리를 사용하실 수 있도록 우리 자신을 그런 위치에 두고 있어야만 합니다.

우리가 하나님을 위해서 무엇을 하기 전에 환상을 기다려야 하는 것은 아닙니다. 하나님은 환상을 주실 수도 있고 안 주실 수도 있습니다. 천사가 나타날 수도 있고 나타나지 않을 수도 있습니다.

나는 한 교회에서 말씀을 전하게 되었는데 그 곳에는 한 위대한 하나님의 사람이 있었습니다. 그는 70세가 넘었는데 19세기에서 20세기로 접어들 때 성령의 충만함을 받고 1912년에 중국 선교사로 가게 되었습니다. 그는 내게 그가 체험했던 수많은 경이로운 일들에 관해 말했습니다.

교회에서 그는 매주 금요일 밤 성경 공부를 인도하였는데(그가 가르치는 것을 많이 보았는데 나는 그가 세계적인 교사 중의 한 사람이라고 믿습니다) 이런 이야기를 하였습니다. 그는 주님이 인도하시는 대로 어떤 주제에 대해 가르쳤지만 때로는 회중에게 원하는 주제를 종이에 써서 제출하는 것을 제안하기도 했습니다.

한 번은 회중 대다수가 "우리는 천사에 관한 가르침을 받기 원합니다. 우리는 천사에 관해 가르치는 것을 들어본 적이 없습니다"라고 썼습니다. 그는 최고의 오순절 성경학교 중의 하나에서 오랫동안 가르쳤으므로 두 주면 그 주제를 다 가르칠 수 있을 것으로 생각했습니다. 그러나 그는 "연구를 하면 할수록 이 주제는 점점 더 커져서 나는 6주 동안이나 가르쳤지만 아직도 그 주제를 다 다루지 못했다"고 말했습니다.

이 사람은 순복음 교단의 간부였습니다. 천사에 대한 가르침을 마치자마자 그는 교단의 지도자들과 함께 업무회의에 참석하게 되었습니다. 토론의 주제 중에 하나는 그 교단의 한 목회자가 천사를 보았다고 주장하는데 대한 보고서에 관한 것이었습니다. 그는 천사가 그의 사역에 관하여 가르쳐 주었다고 말했습니다. 그래서 그 교단 지도자들은 그가 목회를 못하도록 하려고 했습니다.

이 성경 교사는 "나는 그냥 앉아서 듣기만 했습니다. 한 마디 코멘트조차도 하지 않았습니다. 호명되기 전에는 결코 말을 하지 않았습니다. 나는 일이 되어져 가는 방향을 볼 수 있었습니다. 그들은 이 목회자를 그 교단에서 내보내려고 하고 있었습니다"라고 말했습니다.

마침내 한 형제가 일어나더니 "우리는 S형제의 말을 들어야 한다고 생각합니다. 그는 이 운동의 초창기부터 우리와 함께 해왔습니다. 그는 가장 훌륭한 성경 교사 중의 한 사람입니다. 그가 하는 말을 같이 들어봅시다"라고 말했습니다.

그는 교회에서 가르쳤던 천사에 대한 연구에 관하여 말하기 시작했습니다.

"수천 명의 목회자 중에 한 사람이 천사를 보았다고 해서 나는 조금도 개의치 않습니다. 나를 괴롭히는 것은 우리들 중에 더 많은 사람들이 천사를 보지 못하고 있다는 사실입니다. 둘째로 만일 천사를 보았다고 그 목사님을 내어 보낸다면 그 대신에 성도들에게 우리는 무엇을 제공할 수 있습니까? 이것보다 나은 것을 우리가 가지고 있습니까? 더 초자연적인 것이 있습니까? 더 성경적인 것이 있습니까? 내 생각에는 더 좋은 것을 가지고 있지 않다면 우리가 지금 가지고 있는 것이라도 버리지 않는 것이 낫다고 생각합니다."

재빨리 몇 사람이 "이 안건은 묵살하고 모든 것은 다 잊어버리기로 동의합니다"라고 말했습니다. 그들은 만장일치로 그 일을 더 논하지 않기로 했습니다.

1963년 텍사스 가란드에 있는 나의 사무실은 사무실이라고 할 수도 없을 만큼 작은 주택의 한 방을 사용하고 있었습니다. 다른 곳에 사는 어떤 사람들이 나에게 "당신의 사무실을 이 도시로 옮긴다면 당신을 위해 사무실을 마련하겠습니다. 모든 사무집기를 들여놓고 비서들을 채용하고 그들의 봉급도 주겠습니다. 당신은 아무 돈도 지불할 필요가 없습니다. 당신의 자료를 책으로 출판하도록 합시다"라고 말했습니다.

전기 기술자인 다른 사람은 "해긴 형제, 당신이 내게 허락만 한다면 내가 형제의 모든 설교를 테이프로 만들겠습니다. 당신에게는 한 푼의 비용도 들지 않도록 필요한 모든 재료들을 무료로 공급하겠습니다."

그들의 건의는 그럴듯했습니다. 당신은 하나님께서 이 일에 반드시 함께 하신다고 생각할 것입니다. 그러나 그 당시 나는 어떤 그룹과 함께 기도하고 있었고 우리는 주님을 섬기는 특별한 시간을 갖고 있었습니다. 그 분위기는 사도행전 13장 1절과 2절에서 말하고 있는 하나님이 움직이는 곳의 분위기였습니다. 내가 한 의자 옆 바닥에 앉아 기도하고 있는데 갑자기 예수님께서 바로 내 앞에 서 계셨습니다. 나는 눈을 감고 있었습니다.

그것은 영적인 환상a spiritual vision이었습니다. 나는 몽환상태trance에 빠진 것이 아니었습니다. 예수님으로부터 오른쪽으로 2피트, 뒤로 3피트쯤에 큰 천사가 서 있었습니다. 나는 전에도 천사를 본 적이 있지만 이렇게 큰 천사는 본 적이 없었습니다. 그 천사는 8피트나 그 이상으로 키가 컸습니다. 예수님은 어떤 것에 대해 내게 말씀해 주셨습니다(예수님이 말씀하신 모든 것이 이루어졌습니다).

예수님이 말씀하고 있는 중에 나는 그 천사를 한번씩 쳐다보았습니다. 그럴 때마다 그 천사는 그의 입을 열고 무엇인가를 말하려고 하였습니다. 내가 예수님을 다시 쳐다보면 그 천사는 아무 말도 하지 않았습니다.

예수님께 "저 친구는 누굽니까? 그는 무엇을 나타내고 있습니까?"라고 여쭈어보았습니다.

"그는 천사란다."

"나의 천사라구요?"

"그래, 네 천사다. 너는 성경에서 내가 어린 아이들에 관하여 말할 때 그들의 천사가 나의 아버지의 얼굴 앞에 항상 있다고 한 것을 읽어 보았지? 네가 성장했다고 너의 천사를 잃어버리는 것은 아니란다"(얼마나 위로가 됩니까! 그 큰 친구가 내 곁에 있습니다. 주님을 찬양합시다!)

"천사는 무엇을 원하지요?"

"그는 네게 전할 메시지를 가지고 있다."

그 때 나는 말씀 한 자 한 자만 의식한 나머지 성령the Spirit을 놓칠 뻔 했습니다.

"예수님이 나에게 말씀하고 계시는데 왜 예수님께서는 내게 메시지를 주지 않으십니까? 왜 나는 천사에게 들어야 합니까? 그 뿐만 아니라 하나님의 말씀은 누구든지 하나님의 영으로 인도 받는 사람은 하나님의 아들들이라고 말하고 있습니다. 나는 성령님을 가지고 있습니다. 왜 성령님은 내게 말할 수 없습니까?"

예수님은 나를 긍휼히 여기시고 나를 참아 주셨습니다.

"너는 주의 천사가 빌립에게 가사로 가는 길로 내려가라고 한 나의 말씀My Word을 읽은 적이 있느냐? 그것이 방향을 일러주는 것direction이 아니냐? 그것이 인도함guidance이 아니냐?

고넬료는 거듭난 사람도 아닌데 나의 천사가 그에게 나타나지 않았느냐? 천사가 그에게 무엇을 하라고 말하지 않았느냐?"

예수님은 내게 신약 성경의 예를 몇 개 더 들어주셨습니다.

"그만하면 충분합니다. 제가 듣겠습니다."

그리고 나서 나는 이 큰 친구를 쳐다보며 "무슨 일입니까?" 라고 물었습니다. 그는 이렇게 말하기 시작했습니다.

"나는 전능하신 하나님이 계신 곳으로부터 이 사람들(그리고 그는 그들의 이름을 댔습니다)이 당신을 위해 사무실을 준비하지 못하게 하도록 말해 주려고 보냄을 받았습니다. 그들은 숨은 동기를 가지고 있습니다. 그 모든 돈을 들였기 때문에 그들은 당신의 사역을 통제하게 될 것입니다."

그리고 나서 무선 전기 기사였던 남자의 이름을 부르고는 이렇게 말했습니다.

"그가 당신의 테이프를 하나도 가지지 못하게 하십시오. 그는 숨은 동기를 가지고 있습니다. 만일 테이프가 그의 손에 들어가면 그가 그것들을 통제하게 될 것입니다. 나는 당신에게 이것을 말해 주려고 전능하신 하나님이 계신 곳으로부터 보냄을 받았습니다."

예수님께서 내게 말씀하셨습니다.

"그 후에 나는 네게 이것을 말해주려고 전능하신 하나님의 임재로부터 보냄을 받았노라 : 돈이 들어올 것이며 너만의 사무실을 소유하고 네가 쓰고 녹음한 책과 테이프를 발간하게 될 것이다. 네가 이것들의 주인이 될 것이며 대장 역할을 할 것이다. 보아라, 내가 네게 무엇을 해줄지 말해주겠다. 4개월 내에 필요한 자금이 모두 들어와 네게 말한대로 일이 이루어질 것이다. 왜냐하면 돈이 들어오도록 내 천사를 이미 보냈기 때문이다."

천사가 말한 그 때가 되었을 때 나는 4000불을 가지게 되었고 주님께서 내게 하라고 하신 것을 충분히 할 수 있었습니다. 이 일이 바로 내 사역의 시작이었습니다. 예를 더 들 수도 있지만 이 정도면 충분하리라고 생각합니다. 다만 한 가지 강조하고 싶은 것은 하나님께서는 환상과 다른 초자연적인 나타내심을 통해 우리를 인도하시지만 나는 여러분께 환상을 구하지 말도록 충고합니다. 마귀가 당신을 속일 수 있는 분야에서는 여러분도 말씀을 벗어날 우려가 있기 때문입니다.

우리는 종종 좀 더 직접적인 안내의 말씀을 받기 원하지만 그렇다고 늘 그런 말씀을 받을 수 있는 것은 아닙니다. 없는 것을 만들어 내려고 애쓰지 마십시오. 성경 어디에도 환상이 나타났을 때 그것을 누가 구하고 있다가 본 사람은 없습니다. 성경에 나타난 환상들은 구하지 않아도 그냥 나타나는 것입니다. 단지 내적 증거로만 인도될 때도 그것으로 만족하십시오. 그렇지만 당신의 영human spirit을 계발하고 훈련하여 이 내적 증거가 당신에게 점점 더 실제적이 되도록 하십시오. 그리고 만약 하나님의 초자연적인 방문이나 나타남이 있을 때 그것들에 대해 감사하십시오.

하나님의 천사들이 당신과 함께 하고 있다는 것을 아십시오. 당신이 보았든지 못 보았든지 당신 천사는 당신과 함께 있습니다.

27

당신의 심령에 귀를 기울이십시오

간신히 그 연안을 지나 미항이라는 곳에 이르니 라새아 시에서 가깝더라 여러 날이 걸려 금식하는 절기가 이미 지났으므로 항해하기가 위태한지라 바울이 그들을 권하여 말하되 여러분이여 내가 보니 이번 항해가 하물과 배만 아니라 우리 생명에도 타격과 많은 손해를 끼치리라 하되 행 27:8-10

이 여행을 하게 되면 큰 피해를 볼 것이라는 것을 "주께서 내게 말씀하셨다"라고 바울은 말하지 않았습니다. 그는 단지 "내게는 이렇게 보인다I perceive, 내가 보니"라고 말했습니다. 그의 영 안을 통해 바울은 내적 인지an inward perception, 즉 내적 예감an inward premonition, 내적 증거an inward witness로 이 여행이 위험하다는 것을 알았습니다. 이것이 바로 하나님께서 우리 모두를 인도하시는 가장 우선적인 방법입니다.

바울은 이것을 머리로mentally 인식한 것이 아닙니다. 어떤 '몸의 떨림vibration' 이나 '심령 현상적 체험psychic experience'을 한 것도 아닙니다.

나는 이런 진동 따위를 좋아하지 않습니다. 영적 인지spiritual perception는 심령 현상 영역psychic realm; 영매, 심령들, 점치는 무당술에 속한 것이 아닙니다. 성경에서는 심령 현상을 발견하지 못합니다. 바울은 또한 이것을 육체의 오감으로physically 인지한 것도 아닙니다. 그는 자신의 영 안에 증거를 가지고 있었습니다.

이것은 우리 모두의 것입니다. 우리의 영에 함께 거하시는 성령님은 우리 마음이 아니라 영을 통하여 교통하십니다. 그래서 당신의 영은 당신의 머리가 알지 못하는 것을 압니다.

그러나 우리는 우리 자신의 영에 귀를 기울이는 것에 관해 별다른 가르침을 받지 못했습니다. 뿐만 아니라 우리는 때때로 나 자신의 영에 귀 기울이기를 꺼려 합니다.

성령 충만 받은 성도들이 계속 성령 인도를 놓치고 실수를 하고 실패를 하는 이유는 우리를 안내해야 하는 우리 영이 감옥에 갇혀 격리되어 있는 것이나 마찬가지였기 때문입니다. 지성, 즉 지식이 그 왕좌를 차지해 버렸습니다. 사람의 영이 주님의 등불이기 때문에 자기의 영을 가두어 버리고 그 영에 귀를 기울이지 않는 사람은 삶의 불구자가 되어 이기적이고 음모를 일삼는 사람들에게 손쉬운 먹이감이 됩니다.

우리 부부는 영적으로 매우 아름다운 여자 목사님을 위해 집회를 가졌습니다.

어떤 복음 전하는 자가 한 도시에 오게 되었습니다. 그는 시 전체를 상대로 집회를 하려고 그 도시의 모든 교회와 협력할 수 있도록 하였으며 시청 강당도 빌려 놓았습니다. 이런 말을 하는 것은 유감스러운 일이지만 목회를 하는 모든 사람들이 다 정직한 것은 아닙니다. 그는 신용이 좋지 않았으므로 시청 강당 측에서는 강당 사용료의 선불을 요구했습니다. 그래서 그는 이 여자 목사를 찾아갔습니다. 그 여자 목사는 호인이어서 그녀의 교회가 사용료 3000불과 신문 광고비를 내겠다고 하였습니다. 매일 밤 2000~3000명의 무리가 참석했습니다.

이 전도자는 많은 돈을 걷어 가지고는 소요 비용을 한 푼도 지불하지 않고 도시를 떠나버렸습니다. 이 여자 목사 교회에서는 그 교회 건축 헌금에서 5000불을 내어 이 비용을 대신 감당했습니다. 이 여자 목사는 내게 이렇게 말했습니다.

"해긴 형제, 만일 내가 내 심령heart에 귀를 기울였다면 나는 그렇게 하지 않았을 것입니다."

"나는 당신이 그 돈을 다 찾았다고 들었는데요."

"물론 찾았습니다. 나는 그가 어디에서 다음 모임을 갖고 있는지 알아냈습니다. 나는 비행기 표를 사 가지고 그 곳에 갔습니다. 집회는 이미 시작되었고 나는 한참 기다렸습니다. 바야흐로 그 사람의 순서가 시작되려고 했을 때 나는 통로를 걸어 강단을 향하여 내려갔습니다. 예배 안내자들이 나를 멈추게 하려고 하였습니다. 나는 '안됩니다. 나도 복음전하는 목사입니다. 내가 이 사기꾼을 만나볼 일이 있습니다' 라고 말하며 곧바로 강단으로 올라가 그 목사에게 '나는 내 돈 5000불 때문에 왔습니다. 내가 오늘 밤 헌금을 걷을 것입니다. 나는 돈 가방을 가지고 왔습니다. 우리는 걷히는 모든 헌금을 그 가방에 쏟아 넣을 것입니다. 나는 우리 교회가 우리의 모든 돈을 찾을 때까지 매일 밤 여기를 떠나지 않을 것입니다. 당신이 그 돈을 돌려주지 않는다면 나는 예배 순서를 당신에게 넘겨줄 때 내가 강단에 대신 서서 어떤 일이 일어났었는지 사람들에게 말하겠습니다. 그 뿐만 아니라 나는 당신의 집회마다 따라가겠습니다. 집회 때마다 강단에 올라가서 똑같은 광고를 하고는 사람들에게 당신이 행한 일을 말하겠습니다' 라고 말했습니다."

두 말 할 필요도 없이 이틀 밤만에 그녀는 돈을 찾아 돌아왔습니다. 나는 그녀의 용기를 자랑스럽게 여겼습니다. 그러나 내가 강조하고 싶은 것은 이것입니다. 그녀는 내게 말했습니다.

"해긴 형제, 만일 내가 내 영에 귀를 기울였다면 이런 일은 절대 일어나지 않았을 것입니다. 내가 어떤 음성을 들었다는 것이 아니고 아주 조용한 작은 음성a still, small voice을 들었다는 것도 아닙니다. 나는 '단지 내적 증거에 귀를 기울이기만 했더라면'이란 뜻입니다. 나는 내 영에 걸림I had a check in my spirit이 있었습니다. 만일 내가 그것에 귀를 기울였다면 그런 쓸데없는 노력을 할 필요가 없었을 것입니다."

만일 우리가 각자 자신의 심령hearts에 귀를 기울여 듣는다면 - 즉 내적 증거an inward witness 혹은 내적 음성an inward voice이라고 하는 것 - 우리는 우리가 저질렀던 많은 일들을 행하지 않았을 것입니다.

나는 이 내적 증거에 귀를 기울이지 않아서 돈을 잃어버렸습니다. 나는 내 속으로 하지 말아야겠다는 것을 알았습니다. 그런데 왜 했냐구요? 글쎄요, 왜 우리들 중에 어떤 이들은 내적 증거에 귀를 기울이지 않습니까? 당신이 내적 음성 듣는 것에 몇 번 실패했다고 해서 내적 증거에 귀를 기울이는 일을 중단하지는 마십시오.

한밤중에 걸려온 전화를 받으러 가다가 의자에 걸려 넘어졌다면 당신은 거기 그냥 누워있지 않을 것입니다. 일어나서 전화를 받을 것입니다. 정강이가 까졌거나 돌에 채여 발톱을 다쳤다고 해도 포기하지 않습니다. 영적으로도 당신은 정강이가 까졌거나 돌에 채여 발톱을 다쳐도 포기해서는 안됩니다.

내가 말한 대로 자기의 영을 닫아두고 영의 음성에 귀를 기울이지 않는 사람은 평생 불구자로 사는 것입니다. 자기 영에 귀를 기울여 듣는 사람은 남녀노소를 불문하고 정상에 올라갑니다!

그리스도인들이 단지 자신의 내부만 점검해도 그들 삶의 대부분의 문제들에 있어서 어떻게 할지를 알게 될 것입니다. 성경이 이미 어떻게 하라고 말하고 있을 때에는 안내를 구할 필요도 없습니다. 그냥 말씀대로 빨리 행하십시오. 성경은 삶의 모든 상황에서 어떻게 행동해야 하는지를 말하고 있습니다. 남편이 아내에게 어떻게 행동해야 하는지, 아내가 남편에게 어떻게 대해야 하는지를 말하고 있습니다. 또 부모가 자녀를 어떻게 대해야 하는지, 자녀들이 그들의 부모를 어떻게 대해야 하는지를 말하고 있습니다.

성경은 우리 모두가 하나님의 사랑으로 사랑 가운데 행할 것to walk in love을 말하고 있습니다. 자기 유익을 추구하지 않는 이 하나님의 사랑도 역시 심령hearts의 문제입니다.

28

어떻게 사람의 영을 훈련하는가?

사람의 영혼은 여호와의 등불이라 사람의 깊은 속을 살피느니라 잠 20:27

주님은 우리들의 영을 통하여 우리를 깨닫게 하시며enlighten 안내하십니다(잠 20:27). 따라서 우리는 좀 더 영을 의식하는 spirit-conscious 사람이 되어야 합니다. 단지 지식이나 육체적인 존재만이 아니라 영적 존재라는 사실을 의식하고 살아야 할 필요가 있습니다.

우리의 영을 훈련시킴으로써 우리 영은 더 안정되고 더 안전한 안내자가 될 것입니다.

그리스도인이 더 이상 앞으로 나아가지 못하도록 붙잡아 두고 있는 것 중의 하나는 우리가 영을 의식하는 것spirit-conscious 보다 육체와 혼을 더 의식하고 있다는 것입니다. 몸과 혼은 성장하고 단련되도록 노력하지만 영은 거의 손도 안대고 내버려 두었습니다.

내게는 이 분야에 있어서 많은 그리스도인들에게 도움이 되었던 카세트 테이프가 있습니다. 집회 중에 제가 잘 아는 어느 한 청년이 이 테이프가 그에게 어떻게 도움이 되었는지 간증하였습니다.

불과 몇 년 전, 그가 서른 한 두 살이었을 때 사업을 시작했습니다. 직장을 그만두었을 때 그는 단돈 5500불만을 수중에 가지고 있었습니다. 그는 미혼이었는데 이 돈을 생활비는 물론 사업 자본금으로도 사용해야만 했습니다. 한 때 그 돈이 50불까지 줄어들기도 했었습니다.

그는 이런 간증을 들려주었습니다.

"나는 해긴 형제의 테이프를 들었습니다. 그 테이프는 믿음과 고백에 관한 세 개의 테이프였는데 그 중에 하나는 '어떻게 사람의 영을 훈련하는가' 였습니다. 매일 밤 나는 자기 전에 이 테이프를 들었습니다. 아침에 면도하는 동안에도 이 테이프를 들었습니다. 내가 이 테이프를 반복해서 듣고 또 들어서 – 아마 수백 번을 들었을 것입니다 – 그 말씀이 내 영에 들어왔습니다.

그 후에 나는 내 영에 귀를 기울이고 나의 믿음을 사용함으로써 내 자산은 현재 3천만 불이 넘었습니다."

이 젊은이는 지금 38세밖에 안 되었습니다. 그는 설교자가 아닙니다. 그는 사업가입니다. 그는 내게 그의 영이 어떻게 그에게 말해왔으며 그에게 어떻게 투자를 하고 땅을 사라고 말했는지 말해주었습니다. 그 카세트에 담긴 가르침의 정수만을 이 장에서 나누게 될 것입니다. 사람의 영을 훈련하는 방법입니다.

어떻게 사람의 영을 훈련하는가?

당신 마음을 교육하는 것과 같이 당신 영도 교육을 시킬 수 있습니다. 당신의 몸이 튼튼해지고 훈련되듯이 영도 힘이 강건해지고 훈련시킬 수가 있습니다. 자신의 영human spirit을 훈련시킬 수 있는 네 개의 법칙은 이렇습니다.

(1) 말씀을 묵상함으로
(2) 말씀을 실천함으로
(3) 말씀에 최우선을 둠으로
(4) 당신 자신의 영의 음성에 즉시 순종함으로

1. 하나님의 말씀을 묵상함으로

내가 알고 있는 가장 심오한 영적인 남녀들은 대부분 하나님의 말씀을 묵상하는데 시간을 드리는 사람들입니다. 묵상하지 않고 영적인 지혜를 발전시킬 수는 없습니다. 모세가 죽은 뒤 여호수아의 사역 초기에 하나님은 여호수아에게 이 사실을 알려주셨습니다.

> 이 율법책을 네 입에서 떠나지 말게 하며 주야로 그것을 묵상하여 그 안에 기록된 대로 다 지켜 행하라 그리하면 네 길이 평탄하게 될 것이며 네가 형통하리라 수 1:8

만일 하나님께서 여호수아가 형통하기를 원하지 않으신다면 왜 그에게 어떻게 하면 형통하는지를 말씀하셨겠습니까? 만일 하나님께서 그가 성공하기를 원하지 않으신다면 왜 어떻게 하면 크게 성공하는지를 말씀해 주셨겠습니까? 하나님은 여호수아가 성공적인 삶을 살기를 원하셨으며 하나님께서는 당신도 성공하기를 바라십니다.

이 진리를 신약 성경의 말로 풀어서 말한다면 이렇게 말할 수 있을 것입니다.

"하나님의 말씀이 – 특히 신약 성경 – 네 입에서 떠나지 않게 하라. 이 말씀을 밤낮으로 묵상하고 이 책에 쓰인 모든 말씀을 따라 행하도록 하라 그렇게 하면 내가 너의 길을 형통하게 만들 것이며, 너는 큰 성공을 거두리라"

만일 당신이 삶을 통해 무엇이든지 위대한 일을 하기 원하거나 또는 무엇이든지 의미 있는 일을 하기 원한다면 하나님의 말씀을 묵상하는데 시간을 드리십시오. 최소한 하루에 10~15분씩이라도 시작하십시오. 그리고 시간을 차츰 늘려 가십시오.

나는 1949년 내가 목회 하던 마지막 교회를 떠난 후로부터 지금까지 소위 초청 받아 설교하거나 교회 전체를 상대로 집회를 열어 말씀을 전하는 사역the field ministry을 해왔습니다. 나는 지금보다 더 많은 금식과 다양한 기도를 하곤 했었습니다(당신도 무엇인가를 하면서 배우게 됩니다). 늘 그러했듯이 하루에 두 번씩 예배를 드리거나 때로는 세 번씩 예배를 드리는 것은 영적으로는 물론 육체적으로도 많은 힘이 필요했습니다. 나는 오전에는 늘 가르치고 오후에는 내내 큰 소리로 기도를 했고, 매일 밤 설교를 했습니다. 집회 중에는 오직 하루 한끼만 먹고 많은 육체적 에너지를 쏟아 부음으로써 몸이 약해지곤 했습니다.

그 때는 한 주에 이틀, 즉 화요일과 목요일은 금식하는 날이었습니다. 나는 24시간 동안 아무 음식이나 물도 섭취하지 않았습니다.

어느 날 주님께서 내게 말씀하셨습니다.

"나는 네가 며칠간 혹은 어떤 기간을 정해서 금식하는 대신 금식하는 삶을 살기를live a fasted life 바란다."

"무슨 말씀이신지요? 그런 말씀을 하는 것은 들어본 적도 없는데요!" 내가 말했습니다.

주님은 "며칠간 금식하고 나서 먹고싶은 대로 먹는 대신 그냥 금식하는 삶을 살아라. 금식한다고 내가 바뀌는 것은 아니다. 네가 금식하기 전이나 금식 도중이나 금식한 후에도 나는 똑같단다. 금식이 내 마음을 바꾸는 것이 아니다. 금식은 단지 네가 네 육신을 복종시켜 다스리는데keep your flesh under 도움이 될 뿐이다. 그러므로 다시는 네가 먹고싶은 대로 실컷 먹지 않도록 해라. 네 육신을 항상 다스리도록 하여라"라고 말씀하셨습니다. 그리고 주님은 말씀하셨습니다.

"오후 모든 시간을 기도함으로 저녁 예배 전에 네 자신을 기진하게 하지 말아라. 침대에 누워 묵상하여라."

그래서 나는 오후에는 누워 쉬면서 묵상하기 시작했습니다. 기도하고 금식하는 것보다 더 깊이 묵상하였습니다. 나는 영적으로 더 자랐습니다.

이것이 바로 하나님께서 여호수아 1장 8절에서 말하고 있는 것입니다.

"… 그리하면 너의 길이 형통하게 될 것이다 …"

나는 사역에 있어서 형통하기를 바랐습니다.

"… 그리하면 네가 성공하리라have good success…"

나는 내 사역에 성공을 누리고 싶었습니다.

당신이 목회를 하든지 목축업을 하든지, 자동차 판매를 하든지, 무엇을 하든지 이것은 역사합니다.

"이 하나님의 말씀이 네 입에서 떠나지 말게 하라"

말씀에 관하여 말하십시오.

"그러나 너는 말씀을 묵상해야 할지니라"

말씀을 생각하십시오. 묵상하다meditate라고 번역된 히브리 단어는 이런 의미도 내포하고 있습니다: 혼자 중얼거리다to mutter, 말씀을 되뇌이다, 자기 자신에게 말하다.

주님께서는 묵상에 대한 가르침을 한 번도 들어본 적이 없는 나를 침대에 누워 말씀을 중얼거리도록 인도하셨습니다. 나는 그 말씀들을 그저 내 자신에게 말했습니다. 그 뒤 나는 아주 놀라운 집회를 갖곤 했습니다. 영적으로 나 자신을 발전시키면서 동시에 내 육체적인 힘도 보전하였습니다.

나는 여호수아 1장 8절의 다른 번역을 좋아합니다. 마지막 구절은 이렇게도 번역되었습니다.

"… 너는 네 인생 문제들을 지혜롭게 다룰 수 있게 될 것이다"

인생의 문제를 지혜롭게 다루는 법을 알지 못한다면 당신은 좋은 성공을 누릴 수 없습니다. 어떻게 인생의 문제들을 지혜롭게 다룰 수 있을까요? 당신이 하나님의 말씀을 묵상하고 그 말씀의 빛 가운데 걸어감으로써 할 수 있습니다.

2. 말씀을 실천하기

말씀을 실천한다는 것은 말씀을 행하는 자가 되는 것을 의미합니다.

> 너희는 말씀을 행하는 자가 되고 듣기만 하여 자신을 속이는 자가 되지 말라 약 1:22

'말씀에 관하여 말하는 사람들' 과 심지어 '말씀에 관하여 기뻐하는 자들' 은 많지만 '말씀을 행하는 자들' 은 많지 않습니다. 모든 상황에서 말씀이 당신에게 하라고 하는 대로 행함으로 말씀을 행하는 자가 되기를 실천하십시오. 어떤 사람들은 말씀을 행하는 자가 되는 것을 십계명을 지키는 것을 의미하는 줄로 알고 있습니다. 야고보서 1장 22절이 말하는 것은 이것이 아닙니다. 무엇보다도 새 언약 아래서 오직 한 계명, 즉 사랑의 계명만 가지고 있습니다. 예수님께서 말씀하셨습니다.

> 새 계명을 너희에게 주노니 서로 사랑하라 내가 너희를 사랑한 것같이 너희도 서로 사랑하라 요 13:34

말씀을 행하는 자는 그렇게 할 것입니다. 당신이 어떤 사람을 사랑한다면, 당신은 그 사람으로부터 도둑질하지 않을 것입니다. 그에 관하여 거짓말하지도 않을 것입니다.

신약 성경은 사랑을 율법의 완성이라고 말하고 있습니다. 당신이 만일 사랑하며 산다면 당신은 죄를 짓지 못하도록 주어진 어떤 법도 범하지 않을 것입니다.

말씀을 행하는 자가 되는 것은 우리가 무엇보다도 서신서에 쓰여있는 대로 행하는 것을 의미합니다. 서신서는 우리, 즉 교회에게 쓰여진 편지들입니다. 말씀을 행하는 예로서 서신서에 쓰여진 교훈 중 하나를 살펴보도록 하겠습니다.

> 아무 것도 염려하지 말고 다만 모든 일에 기도와 간구로 너희 구할 것을 감사함으로 하나님께 아뢰라 빌 4:6

그렇게 하십시오! 우리는 기도하라고 한 부분을 실천에 옮기는 것은 어렵게 생각하지 않습니다. 만일 당신이 이 부분만 실천하고 말씀의 맨 처음 부분을 실천하지 않는다면 당신은 말씀을 실천하고 있는 것이 아닙니다. 즉 당신은 말씀을 행하는 자가 아닙니다.

확대 번역은 빌립보서 4장 6절을 이렇게 번역하고 있습니다.

"어떤 것에 대해서도 안달하거나 염려하지 마십시오…"

먼저 우리가 안달하지 말라고 말합니다. 만일 당신이 안달하고 염려하고 있다면 구하는 것도 아무 효과가 없을 것입니다. 그런 기도는 역사하지 않습니다.

안달과 조바심으로 가득차고
근심이 지나친 기도는 역사하지 않습니다

몇 년전 어떤 목사님이 나를 찾아왔었습니다. 나는 그 목사님의 처지가 매우 안됐다고 생각했었습니다(물론 그 사람을 동정한다고 해서 그것이 그 사람에게 답을 주는 것은 아닙니다). 그의 삶은 폭풍과 시험으로 가득했습니다. 그의 위장은 시원치 않아 먹은 것을 소화시킬 수가 없었습니다. 잠도 잘 자지 못했습니다. 어떤 특별한 사건 때문에 그의 신경은 과민한 상태였습니다.

그는 내게 도움을 요청하러 왔었습니다. 나는 그에게 성경 말씀은 어떻게 말하고 있으며, 이 상황에서 기도는 어떻게 해야 할 것인가에 대해 말하기 시작했습니다. 내가 이 성경 말씀을 들어 그렇게 실천하라고 격려하자 그는 반발했습니다. 그는 "그건 그렇습니다만 모두가 당신이 가진 그런 믿음을 가진 것은 아닙니다"라고 말했습니다.

그런 그에게 나는 문제는 많은 믿음을 가졌느냐는 것이 아니라 말씀을 실천하려고 얼마나 노력했느냐에 달려있다고 말했습니다. 나는 이 말씀을 실천한다면 믿음도 세워질 것이라고 말했습니다. 그리고 나는 내가 어떻게 이 말씀을 실천하고 있는지 말해주었습니다. 나는 혼자 있을 때 이 구절을 큰 소리로 소리내어 읽고 나서 주님께 주님의 말씀은 진리이며 나는 주의 말씀을 믿노라고 말한다고 했습니다. 나는 그 목사님에게 걱정하고 안달하지 않을 수 없다고 말하고 싶은 유혹을 받게 될 것이라고 말했습니다. 그러나 하나님은 우리가 할 수 없는 것을 하라고 요구하시는 분이 아닙니다.

하나님께서 안달하지 말라고 하시면 그것은 우리가 안달하거나 염려하지 않을 수 있다는 의미입니다. 하나님은 공의로우시므로 우리에게 할 수 없는 것을 요구하지 않으십니다. 나도 처음 이 말씀을 실천하려고 했을 때 구할 것을 하나님께 아뢰는 것은 쉬웠으나 내가 안달하지 않고 믿을 수 있다는 것을 믿는 것은 어려웠습니다. 그렇지만 하나님께서 우리가 안달할 필요가 없다고 말씀하셨으므로 나는 "나는 안달하거나 염려하기를 거부한다"라고 말했습니다. 그리고 나서 나는 내 구할 것을 하나님께 아뢰고 또 응답하심을 주님께 감사했습니다.

이렇게 하는 것은 나의 영을 잠잠케 하며 마귀가 내게 주려고 한 불편한 영을 잠재웁니다. 그리고 나는 내가 하던 일로 돌아갑니다. 그러나 내가 알아차리기도 전에 마귀는 내가 조바심이 나도록 여러 가지를 시도합니다. 그렇지만 나는 다시 원점으로 돌아가서 이 구절을 읽고 이것이 내 것임을 주장합니다.

이 목사님은 빌립보서 4장 6절을 실천하기 시작했습니다. 그는 후일 내게 그 문제는 해결되었으며 그가 예상했던 것만큼 커지지 않았다고 말했습니다. 그는 어떤 일 때문에 고소를 당할 처지였었지만 하나님께서는 그가 그 문제에서 벗어날 수 있게 도와주셨습니다.

당신이 밥을 못 먹고 잠도 잘 수 없도록 어떤 일에 대하여 조바심을 내게 될 경우도 있습니다. 그러나 당신이 할 수 있는 일은 말씀을 실천하는 것이며 그러면 말씀에 따른 결과를 갖게 됩니다. 빌립보서 4장 7절은 빌립보서 4장 6절을 실천한 결과입니다.

> 그리하면 모든 지각에 뛰어난 하나님의 평강이 그리스도 예수 안에서 너희 마음과 생각을 지키시리라 빌 4:7

많은 사람들이 7절이 말하고 있는 것을 원하기는 하지만 7절을 얻기 위해 6절이 말하고 있는 것을 실천하기는 원치 않습니다. 확대 번역에 7절은 이렇게 되어 있습니다.

"그러면 하나님의 평안, 즉 모든 이해를 초월하는 평안이 그리스도 예수 안에서 너의 심령과 마음을 지키기 위해 수비대를 세우고 보초를 배치해서 지킬 것이라."

하나님의 평안이 당신의 심령hearts과 마음mind을 지켜줄 것입니다. 그렇지만 말씀을 행하는 자가 되지 않고 이런 결과를 얻을 수 있습니까? 얻을 수 없습니다. 그것은 불가능한 일입니다. 6절은 우리에게 조바심 내지 말라고 합니다. 걱정하고 염려하는 사람은 인생의 잘못된 면만 항상 생각합니다. 8절은 우리가 무엇에 관해서 생각해야 하는지를 말해주고 있습니다.

> 끝으로 형제들아 무엇에든지 참되며 무엇에든지 경건하며 무엇에든지 옳으며 무엇에든지 정결하며 무엇에든지 사랑 받을 만하며 무엇에든지 칭찬 받을 만하며 무슨 덕이 있든지 무슨 기림이 있든지 이것들을 생각하라 빌 4:8

8절을 실천하십시오. 이 말씀대로 하십시오. 바른 것을 생각하십시오. 많은 사람들이 잘못된 것들을 생각합니다. 사람들이 말하는 것을 보면 그들이 생각하고 있는 것을 알 수 있습니다.

성경은 "…이는 마음에 가득한 것을 입으로 말함이라"(마 12:34)라고 말하고 있습니다. 그들은 끊임없이 염려하고 걱정하며 삶의 잘못된 면만을 생각하고 끊임없이 불신앙을 말합니다. 누구도 말씀을 행하는 자가 되면서 동시에 불신앙을 계속 말할 수는 없습니다. 당신이 무엇에 관해 말하든지 그것을 더 말하면 말할수록 그것도 커집니다. 만일 어떤 것이 이 기준에 합당하지 않으면 – 즉 진실되고, 정직하고, 공정하고, 순수하고, 사랑스럽고, 선한 보고가 있지 않으면 – 그런 것은 더 생각하지도 말고 그에 관해 더 말하지도 마십시오!

고린도전서 13장 7절을 확대번역은 이렇게 번역했습니다.

"사랑은 … 각 사람의 최선the best을 언제든지 믿을 준비를 갖추고 있는 것이다"

나는 수년간의 경험을 통해서 사람에 관해 전해들은 대부분의 이야기들은 이 기준의 첫 번째 조건도 만족시킬 수 없다는 것을 발견하였습니다. 그런 말들은 진실도 아닙니다. 그러므로 당신이 들은 것을 가지고는 얘기하지도 마십시오. 그런 것은 생각도 하지 마십시오. 당신이 들은 것 중에 어떤 것은 진실일 수 있지만 순수하지 못하거나 사랑할만한 가치가 없을지도 모릅니다. 이 점을 주의해 보십시오. 선한 보고a good report에만 관심을 가지십시오. 그러므로 우리는 그런 것들을 생각도 하지 말아야 합니다. 그런 것들을 생각함으로써 우리는 마귀에게 자리를 내어 주게 됩니다. 마귀가 사용하는 최고의 무기는 제안하는 것suggestion입니다. 마귀는 늘 당신 생각의 삶your thought life 속에 침투해 들어가려고 애쓰고 있습니다. 이것이 바로 하나님의 말씀으로부터 "이것만을 생각하라"고 가르침을 받는 이유입니다.

특히 서신서에서는 성령 하나님이 교회를 향하여 말씀하고 계십니다. 그러므로 이 편지들과 성령님께서 하시는 말씀을 묵상하고 그 말씀을 행하는 자가 되십시오. 당신은 영적으로 성장하게 될 것입니다.

3. 말씀에 최우선권을 드리십시오

우리의 영을 교육하고 발전시키고 훈련하는 것은 하나님의 말씀에 우리 삶의 첫 번째 자리를 드림으로 가능합니다.

> 내 아들아 내 말에 주의하며 내가 말하는 것에 네 귀를 기울이라 그것을 네 눈에서 떠나게 하지 말며 네 마음 속에 지키라 그것은 얻는 자에게 생명이 되며 그 온 육체의 건강이 됨이니라
>
> 잠 4:20-22

하나님께서는 이 구절에서 "… 내 말에 귀를 기울이라(주의하라 – 말씀에 우선권을 두라); 네 귀를 내 말에 기울이라(내가 말하는 것을 주의해 들어라); 내 말이 네 눈에서 떠나지 않게 하라(하나님의 말씀을 계속해서 바라보아라); 내 말을 네 심령heart에 간직하라"고 말씀하십니다.

이렇게 하면 중요한 결실이 따라옵니다. 왜 하나님께서는 우리에게 그의 말씀에 우선권을 두고, 그가 말하는 것에 귀를 기울이고, 그의 말씀을 바라보며, 그의 말씀을 심령heart안에 간직하라고 말씀하실까요? 그 이유는 "… 그의 말씀은 그것을 발견하는 사람에게 생명이 되며 그들 육체의 건강이 되기" 때문입니다.

흠정역본의 난외주에는 건강으로 번역된 히브리어 단어를 약medicine이란 단어라고 말하고 있습니다. 하나님의 말씀은 "그들의 모든 육체에 약medicine to all their flesh"입니다. 말씀 안에서는 치료함healing이 있습니다.

내가 목회를 한 12년 동안 많은 교우들이 아파서 병원에 입원도 하고 기도를 부탁하기도 했습니다. 의사를 찾아가는 것이 잘못이라고 내가 말하는 것이 아닙니다. 물론 잘못이 아닙니다. 우리는 병원과 의사를 믿습니다. 그들로 인하여 하나님께 감사합시다. 그렇지만 내가 말하는 것은 왜 하나님의 말씀을 첫 번째로 둘 수 없느냐는 것입니다. 때때로 그리스도인들은 최후의 방법으로 말씀 앞에 돌아옵니다.

하나님의 병고쳐주심을 믿지 않던 어떤 침례교 목사님이 그가 편도선으로 인해 얼마나 고통 당해 왔는지 말했습니다. 담당 의사는 편도선을 제거해야 한다고 주장했습니다. 그래서 편도선 제거를 위해 수술 날짜까지 잡아놓았습니다. 그의 가족은 아이들이 학교에 가기 전에 매일 아침 성경을 읽고 함께 기도하는 습관이 있었습니다. 목사님께서 입원하기로 계획된 바로 그 날 이 가정의 매일 읽는 성경구절은 아사왕이 발에 병이 났을 때 주님을 찾는 대신 의사를 찾았다가 죽었다는 이야기였습니다(대하 16:12~13). 그 목사님은 이 이야기에 충격을 받았다고 말했습니다. 그는 편도선에 관하여 기도도 해보지 않았다는 것을 깨달았습니다. 그는 이 이야기를 그의 아내와 자녀들에게도 함께 나누고 편도선 문제를 놓고 함께 기도하자고 말했습니다. 그들이 기도를 했을 때 주님께서는 그에게 편도선을 제거하지 말라고 말씀하셨습니다. 놀랍게도 주님은 그 편도선을 고치셨으며, 그는 더 이상 고생하지 않게 되었습니다.

여기서 배울 교훈이 있습니다. 성경은 아사왕이 죽은 것은 의사를 우선적으로 의지했기 때문이라는 암시를 주고 있지는 않습니다. 그러나 그가 주님을 우선적으로 의지했어야 했음을 암시하고 있습니다.

우리는 주님에게 최우선을 두도록 우리 자신을 훈련해야 합니다. 어떤 문제에 관해서든지 우리 자신에게 "이것에 관하여 하나님의 말씀은 무엇이라고 하셨지?"라고 물어보도록 스스로를 훈련시켜야 합니다. 우리 인생에 나타나는 어떤 문제든지 하나님은 무어라고 하시는지 스스로 질문해보고 그 말씀에 우선권을 두어야 합니다.

때때로 당신 가족과 친구들이 어떻게 하라고 재촉하더라도 하나님의 말씀이 무엇을 말씀하고 있는지를 생각할 필요가 있습니다. 당신 삶의 모든 분야에 하나님의 말씀을 첫번째로 올려놓으십시오.

4. 당신 영의 음성에 즉시 순종하십시오

사람의 영은 음성을 가지고 있습니다. 우리는 그 음성을 양심이라고 부릅니다. 때때로 우리는 그것을 직관intuition, 내적 음성inner voice, 지시guidance라고 부릅니다. 세상 사람들은 그것을 예감a hunch이라고 부릅니다. 그러나 실제는 당신 영이 당신에게 말을 하고 있는 것입니다. 구원을 받았거나 못 받았거나 모든 사람의 영은 음성을 가지고 있습니다.

앞장에서 살펴본 바와 같이 인간의 영은 영적인 사람a spiritual man이며, 영의 사람a spirit man이며, 속으로 감추어져 있는 사람an inward hidden man입니다. 그는 육체적 감각 속에 감추어져 있습니다. 육의 눈으로는 그를 볼 수도 없고 육의 손으로는 만질 수도 없습니다. 이 사람은 바로 그리스도 안에서 새로운 피조물이 된 바로 그 사람입니다(고후 5:17). 사람이 거듭나게 되면 그의 영은 새로운 영이 됩니다. 하나님께서는 에스겔과 예레미야를 통해 하나님께서 이전의 돌같이 굳은 심령heart을 사람에게서 제해버리고 새로운 심령을 두게 될 시대가 올 것을 예언하셨습니다. 하나님께서는 자신의 영을 우리에게 둘 것이라고 말씀하셨습니다. 새 언약 아래서는 이 새로운 탄생이 가능하게 되었습니다. 새로운 탄생은 인간의 영이 다시 출생a rebirth하는 것입니다.

고린도후서 5장 17절은 누구든지 그리스도 안에 있으면 새로운 피조물이라고 말하고 있습니다. 즉 그의 영의 모든 옛 것, 옛 성품the old nature은 사라져 버렸고, 모든 것이 새롭게 된 것입니다. 당신이 이 새롭게 태어난 영에게 하나님의 말씀을 묵상하는 특권을 주기만 하면 말씀은 영이 얻는 정보의 출처가 됩니다the source of its information. 당신의 영은 강건해지고 당신의 양심의 내적 음성은 영으로 교육을 받게 되어 참된 안내자가 될 것입니다. 말씀을 묵상하는 것, 말씀을 실천하는 것, 말씀에 첫 번째 자리를 드리는 것, 이 모든 것은 당신의 영에게 순종하는 것보다 먼저 오는 것이라는 것을 알아차리셨습니까?

보십시오. 만일 당신 영이 말씀을 묵상하고 말씀을 실천하고, 말씀에 우선권을 두는 특권을 가지게 된다면, 그러면 당신의 영은 권위 있는 안내자가 된 것입니다.

"사람의 영은 주님의 등불the candle of the Lord이라…"(잠 20:27).

당신의 새로 태어난 영은 그 안에 하나님의 생명과 본성the life and nature of God을 소유하고 있습니다. 성령님은 당신의 영 안에 거주하십니다.

"너희 안에 계신 이가 세상에 있는 자보다 크심이라"(요일 4:4).

성령이 계시는 곳이 당신의 영 안이기 때문에 하나님께서는 당신의 영을 통하여 당신과 의사소통을 해야 합니다. 당신의 영은 성령님을 통하여 정보를 얻습니다. 당신 영의 음성에 순종하는 것을 배우십시오. 물론 이런 과정에 익숙하지 않다면 금방은 되지 않을 것입니다. 우리가 말한 바와 같이 당신의 몸이 튼튼해지고 강하게 될 수 있는 것과 똑같이 당신의 영도 튼튼해지고 강건케 될 수 있습니다. 당신의 마음이 교육을 받을 수 있듯이 당신의 영도 교육받을 수 있습니다. 그러나 당신이 1학년을 한 주간 다니고 다음 주에 12학년으로 졸업하지 않듯이 당신의 영도 하룻밤만에 교육받고 훈련을 받게 되지는 않을 것입니다.

그러나 당신이 네 가지를 따라 실천한다면 얼마 후에는 당신도 하나님 아버지의 뜻을 거울을 보듯 깨닫게 되며 인생의 자세한 부분까지 알 수 있게 될 것입니다. 영의 지시를 받아들이게 되어 항상 '예' 나 '아니오' 를 순간적으로 알게 될 것입니다. 삶의 모든 일들에 있어서 당신이 어떻게 해야 할 바를 당신의 영으로in your spirit 알게 될 것입니다.

29

성령 안에서 기도하기

내가 만일 방언으로 기도하면 나의 영이 기도하거니와 나의 마음은 열매를 맺지 못하리라 그러면 어떻게 할까 내가 영으로 기도하고 또 마음으로 기도하며 내가 영으로 찬송하고 또 마음으로 찬송하리라 고전 14:14-15

가장 위대한 영적인 운동 중의 하나는 모든 하루하루를 방언으로 기도하는 것입니다. 그렇게 하면 당신의 영은 영들의 아버지와 직접적인 접촉을 유지하고 있는 것입니다.

방언을 말하는 자는 사람에게 하지 아니하고 하나님께 하나니 이는 알아 듣는 자가 없고 영으로 비밀을 말함이라 고전 14:2

당신이 방언으로 기도할 때 성령님은 말하는 것을 주시지만 gives the utterance 당신의 영은 기도하므로 그 주체는 당신의 영입니다.

바울은 말했습니다.

"내가 모르는 말로 기도하면 나의 영이 기도하거니와…" (고전 14:14)

나는 매일 방언 기도를 하는 정책을 준수해왔습니다. 방언 기도를 함으로써 내 영은 영들의 아버지와의 접촉을 유지합니다. 또한 이것은 내가 좀 더 영을 의식하도록more spirit-conscious 도와 줍니다.

당신이 방언으로 기도하면 당신 마음은 잠잠해 집니다. 왜냐하면 당신은 당신 마음으로부터 기도하고 있지 않기 때문입니다. 당신 마음이 잠잠해지면 당신은 좀 더 당신 자신의 영과 영적인 것들을 더 의식하게 됩니다. 감각의 영역에서 빠져 나오십시오. 육신의 영역에서 빠져 나오십시오. 인간의 이성의 영역에서 빠져 나오십시오. 믿음의 영역과 영의 영역으로 들어가십시오. 믿음은 영으로 말미암은 것입니다Faith is of the spirit. 그리고 거기서 위대한 일들이 일어납니다!

부록 1

성령충만한 삶의 특징

술 취하지 말라 이는 방탕한 것이니 오직 성령으로 충만함을 받으라 시와 찬송과 신령한 노래들로 서로 화답하며 너희의 마음으로 주께 노래하며 찬송하며 범사에 우리 주 예수 그리스도의 이름으로 항상 아버지 하나님께 감사하며 그리스도를 경외함으로 피차 복종하라 엡 5:18-21

[이 부록은 2002년 2월 18일 해긴 목사님께서 겨울 성경 세미나에서 나누신 설교의 사본을 수정한 것입니다. – 편집자주]

에베소에 있는 교회에게 편지를 쓰면서 바울은 신자들에게 "성령으로 충만하라"고 권면합니다. 우리가 성령의 인도를 받으려면 성령으로 충만해야만 합니다. 그러나 많은 그리스도인들은 성령으로 충만한 것이 무엇인지에 대해서 혼란스러워하고 있습니다. 이 혼란은 성경이 에베소의 신자들에 대해서 말하는 내용에 대한 오해로부터 비롯되었습니다.

사도행전 19장은 우리에게 에베소교회의 신자들이 이미 성령 충만을 받았다고 말합니다.

> 아볼로가 고린도에 있을 때에 바울이 윗지방으로 다녀 에베소에 와서 어떤 제자들을 만나 이르되 너희가 믿을 때에 성령을 받았느냐 이르되 아니라 우리는 성령이 계심도 듣지 못하였노라 … 바울이 그들에게 안수하매 성령이 그들에게 임하시므로 방언도 하고 예언도 하니 행 19:1–2, 6

만약에 에베소의 신자들이 이미 성령으로 충만했다면 왜 바울이 에베소서 5장에서 그들에게 성령으로 충만하라고 권면했을까요? 해답은 "충만하다"라는 헬라어 단어에 있습니다. 헬라어 학자들은 에베소서의 "충만하다"라는 단어는 "지속적인 행동"을 뜻한다고 말합니다. 그래서 바울은 에베소의 신자들에게 "… 성령으로 계속 충만해지십시오BE BEING FILLED with the Spirit."라고 말한 것입니다.

처음으로 성령으로 충만해지는 때는 한 번 뿐입니다. 우리는 그것을 성령침례라고 부르고 사도행전 19장에서 그 예를 볼 수 있습니다. 그러나 우리의 일생을 거치면서 많은 재충만이 있습니다. 성령으로 충만해지는 것은 시작과 끝이 있는 단 한 번의 경험이 아닙니다. 이것은 지속적인 경험입니다.

에베소서 5장 18절의 첫 부분에 주목하십시오. "술 취하지 말라 이는 방탕한 것이니." 술 취하는 사람들은 와인을 한 모금 마시고 멈추지 않습니다. 그들은 계속해서 마십니다. 이와 같이 성령으로 충만해지기 위해서는 계속 마셔야 합니다. 당신은 성령님으로부터 계속 공급받아야 합니다.

어떻게 성령으로부터 공급받을 수 있을까요? 바로 성령으로 충만해지는 것에 관해서 말씀이 말하는 것을 행하면 됩니다. 당신은 성령충만한 삶의 특징을 유지해야 합니다.

첫 번째 특징 : 당신의 심령 안의 노래

성령충만한 삶의 첫 번째 특징은 당신의 심령 안에 노래를 가지게 된다는 것입니다. 에베소서 5장을 다시 한번 봅시다.

> 시와 찬송과 영적인 노래들로 너희에게 말하고 너희 마음으로 주께 노래하며 곡조를 만들고 엡 5:19 (한글킹제임스)

만약에 당신이 성령으로 충만하다면 이것을 알아챌 수 있습니다. 사람들도 알게 될 것입니다. 당신도 알게 될 것입니다. 왜냐하면 당신이 성령으로 충만해지면 당신의 심령 안에 노래가 생길 것이기 때문입니다. 심령 안에 노래를 가지게 된다는 것이 무엇을 뜻합니까? 그것은 당신이 기쁨을 가지고 있다는 의미입니다!

성경은 말합니다. "하나님의 나라는 먹는 것과 마시는 것이 아니요 오직 성령 안에서 의와 평강과 희락이라"(롬 14:17). 만약에 당신이 기쁨으로 충만하다면 당신의 얼굴에 나타날 것입니다. 당신은 춤을 출 수도 있고 노래를 부를 수도 있고 웃을 수도 있습니다. 어떤 때에는 기쁨으로 너무 충만해서 혼자 있을 때에도 웃음을 참지 못합니다!

성령으로 충만해진다는 것은 기쁨을 가지고 있고 당신의 심령 안에 노래를 가지고 있다는 뜻입니다. 제가 지금 말하는 노래는 찬양집에서 찾을 수 있는 어떤 노래를 말하는 것이 아닙니다. 교회에서 부르는 노래는 좋은 것입니다. 우리가 그 노래들을 부르는 것은 마땅합니다. 그러나 사도 바울의 시대에는 찬양집이 없었습니다. 그들은 인쇄기를 가지고 있지 않았습니다.

바울은 "시와 찬송과 신령한(영적인) 노래"들에 대해서 말하고 있습니다. 그는 성령님께서 당신에게 주시는 것을 묘사하고 있습니다. 이 노래들은 당신의 심령으로부터 즉흥적으로 오는 것입니다. 이 노래들은 우리를 돕기 위해서 성령님께서 주시는 것입니다.

저는 인생에서 어려운 순간에 시와 신령한 노래를 말하는 자신을 발견합니다. 가장 열악한 때에 저는 거의 밤새도록 시를 말했습니다. 어느 날 밤 저는 실제로 밤새도록 시를 말했습니다. 그날 밤 저는 한숨도 자지 않았습니다!

어려운 때에 성령님께서 저에게 영감을 주십니다. 그분은 저를 돕기 위해서 시를 주십니다. 예수님께서 그의 제자들에게 이렇게 말씀하신 것을 기억하십니까? "내가 너희를 고아로 남겨두지 아니하고I will not leave you comfortless."(요한복음 14장 18절을 보십시오.) 그는 아버지께 "또 다른 위로자comforter", 즉 성령님을 보내실 것을 부탁하셨습니다. 확대번역 성경은 위로자를 "상담자, 돕는자, 중보자, 대변자, 힘주는 자, 그리고 대기자"라고 번역합니다(요 14:16). 성령님은 우리의 대기자이십니다. 그분은 인생에서 힘겨운 순간에 우리를 도우시기 위해 우리 곁에 서 계십니다. 그분은 저를 돕기 위해 그 시들을 제게 주셨습니다. 그 시들은 저에게 위로가 되었습니다.

이제 바울이 골로새 교회에게 뭐라고 썼는지 읽어보십시오.

> 그리스도의 말씀이 너희 속에 풍성히 거하여 모든 지혜로 피차 가르치며 권면하고 시와 찬송과 신령한 노래를 부르며 감사하는 마음으로 하나님을 찬양하고 골 3:16

에베소서 5장 19절에 바울이 "너희에게 말하고 …"라고 썼을 때, 바울은 당신이 당신의 개인적인 기도 생활에서 하는 일에 대해서 말하고 있는 것입니다. 그러나 골로새서에서 바울은 "피차 가르치며 권면하고" 또는 다른 말로 하면 서로에게 말하라고 합니다. 이것은 우리가 시와 찬송과 신령한 노래를 항상 말할 수 있음을 의미합니다. 우리는 혼자서 기도할 때 그렇게 할 수 있습니다. 우리는 이 노래들을 다른 사람에게도 말할 수 있습니다. 또한 공중모임에서도 할 수 있습니다.

그러나 우리가 이렇게 말하기 전에 하나님께서 우리에게 기대하시는 조건에 주목하십시오! 그리스도의 말씀이 먼저 당신 안에 "모든 지혜 안에서 풍성하게" 거해야 합니다. 어떤 때에 그리스도의 말씀은 사람들 안에 거하지만 지혜 안에서 거하지는 않습니다. 바울은 그 말씀이 지혜 안에서 당신 안에 거하게 하라고 충고합니다.

예를 하나 들어드리겠습니다. 1939년도에 저는 두 명의 십대 소년들을 알았습니다. 한 명은 16살이었고, 다른 한 명은 17살이었습니다. 그들은 거듭났고 그 후에 성령충만을 받았습니다.

하루는 그 두 소년들이 토끼사냥을 하러 나갔습니다. 그들은 22구경 소총을 가지고 있었습니다. 그들이 집으로 돌아오면서 기찻길을 따라 걷다가 어떤 어린 소년을 만났습니다. 그리고는 멈춰서 그에게 그리스도를 증거하기 원했습니다.

그들은 그에게 말했습니다. "넌 죽을 준비가 되어있니?"

그 소년이 그들이 하는 말을 듣고 그들이 들고 있던 22구경 소총을 봤을 때 그 소년은 당장 뛰기 시작했습니다!

나중에 이 십대 소년 두 명이 제게 말했습니다. "우리는 그 아이를 죽이려고 한 게 아니었어요. 우리는 그 아이에게 예수님에 대해서 얘기하려고 했어요. 우리는 그 아이가 천국에 갈 준비가 되어있는지 알고 싶었어요."

이 소년들은 하나님의 말씀을 그들 안에 가지고 있었습니다. 그러나 그들은 지혜를 사용하지 않았기 때문에 그들의 계획은 실패하였습니다. 그렇기 때문에 하나님의 말씀은 모든 지혜 안에서 당신 안에 풍성히 거해야 하는 것입니다.

시와 찬양과 신령한 노래의 목적

골로새서 3장 16절이 계속해서 말합니다. "… 모든 지혜로 피차 가르치며 권면하고." 어떻게 서로를 모든 지혜로 가르치고 권면할 수 있습니까? 이 성경구절의 나머지 부분은 "시와 찬송과 신령한 노래를 부르며 감사하는 마음으로 하나님을 찬양"하라고 말합니다.

바울은 그 시psalms들이 신자들을 가르치고 권면할 것을 의미하고 있었습니다. 골로새의 그리스도인들이 시험이나 환난을 겪고 있었다면 성령님으로부터 받은 그 시들이 그들이 겪고 있는 일에 대해서 그들을 가르쳤거나 권면하였을 것입니다.

이 유익은 그들에게만 속한 것이 아닙니다. 이 유익은 모든 신자들에게 속한 것입니다! 바울은 그 두 교회의 한두 명에게만 이 편지를 쓰고 있는 것이 아니었습니다. 그는 에베소와 골로새 교회 전체에게 편지를 쓴 것입니다. 그는 전체 공동체에게 편지를 쓴 것이었습니다. 바울이 그들에게 이 편지를 쓴 것이라면, 이는 바울이 우리에게도 쓴 것이 맞습니다. 이 유익은 우리 모든 각 사람에게 속한 것입니다!

구약에서는 선지자와 제사장과 왕을 제외하고는 아무도 성령을 가지고 있지 않았습니다. 그 사람들은 각자 성령으로 기름부음 받아야만 그들의 직분을 맡을 수 있었습니다. 다윗은 왕이면서 동시에 선지자였습니다. 그래서 그가 쓴 많은 시들은 그가 시험이나 환난을 성공적으로 통과할 수 있도록 성령님께서 그에게 주신 것입니다. 다윗이 어려운 때를 겪고 있을 때 성령님께서 그를 가르치고 권면하기 위해서 그에게 시를 주셨습니다.

믿음으로 시를 말하다

우리가 성령님께서 주시는 시를 말하는 영역으로 한발자국 더 들어가기 위해서는 그럴만한 믿음이 반드시 필요합니다. 우리에게 속한 것을 소유하기 위해서는 믿음이 요구되고 이 축복은 물론 우리에게 속한 것입니다. 시와 찬양과 신령한 노래를 말하는 것은 성령충만함을 유지하고 계속적으로 그것으로 인해 축복받는 것을 의미합니다.

방언통역이 오는 것처럼 시도 성령으로부터 옵니다. 누군가가 방언으로 말하고 있을 때 당신이 그 방언을 통역하려고 하면 성령님께서 당신에게 통역할 수 있도록 기름을 부으십니다. 그러나 당신이 통역을 시작하기 전에 그 통역의 전체적인 내용을 받지는 않습니다. 보통은 첫 단어 한두 개 정도만 먼저 받습니다. 통역의 나머지는 당신이 무엇을 말해야 할지 알게 된 내용을 말하면서 옵니다. 그러나 당신이 반드시 성령님께서 통역의 나머지를 주실 것을 신뢰하고 믿음으로 시작해야만 합니다.

시들도 이와 마찬가지입니다. 가끔 저는 한 단어만 받습니다. 가끔은 두 단어를 받습니다. 가끔은 한 문장을 받을 수도 있습니다. 그 뒤로는 믿음으로 말합니다.

이것은 주님께서 제게 주신 "승리"라는 이름의 시입니다.

승리

승리는 장소에 있는 것이 아닙니다.
승리는 물질에 있는 것이 아닙니다.
승리는 그 분 안에, 영원하신 분 안에 있습니다.
이는 오래전에 아버지로부터 온 자가 있었으니,
그는 이 세상의 챔피언이셨고
아버지의 사랑으로 보내졌으며
끔찍한 결투에서 원수를 만났습니다.
그리고 그는 죽음과 지옥과 무덤을 이겨
승리로 일어나셨습니다.

그리고 그는 원수를 도망가게 하였습니다.

그래서 오늘밤에 승리는 당신 것이 된 것입니다!

이 시들은 저의 영으로부터 나온 것입니다. 다음은 하나님께서 제게 주신 또 다른 시입니다.

걷는 것

말씀 안에 걷는 것이 빛 안에서 걷는 것입니다.

이는 그의 말씀이 입장할 때 빛이 나타나기 때문입니다.

나는 어둠 가운데 있지 않고 빛 가운데 있습니다.

세상에 있는 자들은 어두움 가운데 있습니다.

어두움이 그들을 감싸고 있습니다.

어두움이 그들의 방향을 인도합니다.

그리고 그들은 원수의 어두움에 집착합니다.

그러나 나는 빛 가운데 있습니다.

그리고 하나님의 빛이 나의 길을 비추고 있습니다.

하, 하, 하, 하.

그리고 나는 찬양으로 가득합니다.

나는 기쁨으로 가득합니다!

주님이 나의 빛이시기 때문입니다.

그렇습니다. 그는 나의 구원이십니다.

그는 나의 원수들이 도망가게 하십니다.

싸움은 당신의 것이 아닙니다.

싸움은 나의 것이 아닙니다.

그러나 승리는 우리에게 속해 있습니다.

이 시들이 어떻게 어려운 시기를 겪고 있는 사람을 권면할 수 있는지 아시겠지요? 하나님께 영광을 돌립니다! 그렇기 때문에 우리는 시와 찬송과 신령한 노래들을 말합니다.

두 번째 특징 : 감사함

그리스도인들이 성령충만함을 유지하는 또 다른 방법이 있습니다. 바로 감사드리는 것입니다. 바울이 에베소서 5장에서 하는 말에 주목하십시오.

> 범사에 우리 주 예수 그리스도의 이름으로 항상 아버지 하나님께 감사하며 엡 5:20

성령충만한 삶의 두 번째 특징은 당신이 감사드린다는 것입니다. 만약에 당신이 성령충만함을 유지하고 있다면 당신은 감사함으로 충만합니다. 히브리서의 말씀을 기억하십시오. "그러므로 우리는 예수로 말미암아 항상 찬송의 제사를 하나님께 드리자 이는 그 이름을 증언하는 입술의 열매니라"(히 13:15). 하나님께서는 당신이 감사하는 것을 듣고 싶어 하십니다.

이와 같은 맥락으로 빌립보서 4장에 있는 성경구절을 보겠습니다.

> 아무 것도 염려하지 말고 오직 모든 일에 기도와 간구로, 너희 구할 것을 감사함으로 하나님께 아뢰라 빌 4:6

"아무 것도 염려하지 말고"라는 말이 조금 헷갈릴 수도 있습니다. 우리는 "염려하다"(킹제임스 번역: "조심하다")라는 말을 킹제임스 번역가들과 다른 의미에서 씁니다. 그러나 확대번역이 우리의 이해를 도웁니다. "너희는 아무것도 고민하거나 염려하지 말고." 너무나 놀랍지 않습니까? 저는 말씀이 제가 할 수 있다고 말하는 것을 제가 할 수 있다고 믿습니다. 그리고 말씀은 말합니다. "아무것도 고민하거나 염려하지 말라."

누군가가 이렇게 말할 수도 있습니다. "내가 염려하지 말아야 한다면 도대체 어떻게 하란 말인가?" 그 성경구절의 나머지 부분이 당신이 무엇을 해야 할지 말해줍니다. "… 오직 모든 일에 기도와 간구로, 너희 구할 것을 감사함으로 하나님께 아뢰라."

저는 우리가 감사하는 부분에서 심히 뒤쳐져있다고 믿습니다. 우리는 기도하고 기도하고 또 기도합니다. 우리가 하나님께 물질을 구하거나 그분의 도움을 구하는데 그렇게 하는 것은 잘못된 것이 아닙니다. 그러나 우리는 하나님께서 하신 모든 일과 우리의 삶 속에서 행하시는 일들에 대해 감사드리는 시간을 가져야 합니다. 그리고 주님이 누구신지에 대해서 찬양드려야 합니다.

저울로 재기

제가 성령침례를 받았던 1937년에 저는 다음과 같은 간증을 읽었습니다. 어떤 선교사가 외국에서 천연두에 감염되었습니다. 이것은 의사들이 천연두 백신을 가지고 있기 전에 일어난 일입니다. 많은 경우 이 질병은 치명적이었고 매우 감염성이 높았기 때문에 그들은 질병이 번지는 것을 막기 위하여 그녀를 격리수용했습니다.

이 선교사는 자기가 기도하는 동안 주님이 그녀에게 환상을 주셨다고 간증하였습니다. 환상에서 그녀는 구식의 저울을 보았습니다. 저울의 한 쪽에는 "기도"라고 쓰여 있었고 다른 한쪽에는 "찬양"이라고 쓰여 있었습니다. 그녀는 기도 쪽이 높이 쌓아올려져 있는 것을 보았고 그 무게 때문에 낮게 기울어 있었습니다. "찬양"이라는 쪽은 아주 작은 더미일 뿐이었습니다. 그 결과 그쪽은 공중에 높이 떠 있었습니다.

주님이 그녀에게 말했습니다. "너의 찬양이 너의 기도와 동등할 때에 너는 치유를 받을 것이다." 그 선교사는 계속해서 이렇게 말했습니다. "이틀 동안 저는 잠을 거의 못 잤습니다. 저는 하나님을 찬양하는 것 이외에는 아무것도 하지 않았습니다. 저는 저의 찬양이 저의 기도를 따라잡기 위해서는 찬양을 정말 많이 해야 한다는 것을 알고 있었습니다."

꼬박 이틀 동안 그녀는 하나님을 찬양하고 하나님께 감사드리는 것 이외에는 아무것도 하지 않았습니다. 그 이틀이 지난 뒤에 그녀는 완전히 치유되었습니다! 모든 증상들이 사라졌습니다. 당신은 찬양과 감사드리는 것의 가치를 이제 보실 수 있으십니까?

언제 감사해야 할까요?

그 선교사는 급박한 상황에도 불구하고 하나님을 찬양하고 하나님께 감사드렸습니다. 히브리서 13장 15절은 "우리가 하나님께 찬양의 제사를 가끔씩 한 번 드리자. 우리가 기분이 내킬 때에, 모든 일이 잘 되고 있을 때에, 그리고 돈이 주머니에 가득 찼을 때에"라고 말하고 있지 않습니다. 우리는 찬양의 제사를 지속적으로 드리기로 되어있습니다.

그리고 에베소서 5장 20절은 "모든 일이 잘 되고 있을 때에만 가끔씩 한번 감사드리자"라고 말하지 않고 "범사에 우리 주 예수 그리스도의 이름으로 항상 아버지 하나님께 감사하며"라고 말합니다. 지금 이것은 사단이 하고 있는 일들도 감사하라는 뜻이 아닙니다. 하나님께 어려움과 질병과 고통에 대해서 감사드리는 것이 아닙니다. 사단이 하고 있는 일들 가운데서도 당신이 하나님을 믿을 수 있는 혜택을 감사드리는 것입니다. 당신은 그분의 말씀이 진리이며 그분이 신실하심을 감사드리는 것입니다. 당신은 당신의 믿음을 훈련하고 성장시킬 수 있는 기회를 주신 것을 하나님께 감사드리는 것입니다.

기억하십시오. 만약에 당신이 성령으로 충만하다면 감사함이 당신의 입으로부터 나올 것입니다. 당신은 감사의 말들을 할 것입니다. 당신은 모든 일에 생각으로 감사하는 것이 아니라 입으로 감사드리는 것입니다. 감사드리는 것은 당신의 입술의 열매입니다.

감사함으로 충만한 대신 투덜거림과 불평으로 충만한 사람들이 교회에 너무나도 많습니다. 그들은 불평을 늘어놓을 거리가 항상 있습니다. 저는 사람들이 이렇게 말하는 것을 들었습니다. "그들은 제가 성가대에서 노래를 부르지 못하게 해요." 그 사람들은 저도 성가대에서 노래를 부르지 못하게 합니다. 그들은 아마도 당신과 제가 노래하는 것을 들어보았을 것이고 그것이 바로 그들이 우리가 노래를 부르지 못하게 하는 이유일 것입니다!

투덜거림과 불평함으로 충만하지 마십시오. 감사드리고 당신의 입술의 열매로 하나님께 찬양을 드리십시오.

세 번째 특징 : 서로의 말을 귀 기울여 듣는다

성령충만한 삶의 세 번째 특징은 하나님에 대한 경외함으로 서로에게 복종하는 것입니다.

그리스도를 경외함으로 피차 복종하라 아내들이여 자기 남편 에게 복종하기를 주께 하듯 하라

엡 5:21-22

많은 사람들이 에베소서 5장 22절을 문맥에서 벗어나게 해석하여 본래의 의미와는 다른 말을 하고 있는 것처럼 만들었습니다. 많은 사람들이 이 성경구절의 의미를 남편이 독재자이어야 하고 아내를 다스려야 하는 것이라고 생각합니다. 바로 전 성경구절에 바울이 말했습니다. "너희는 … 피차 복종하라." 이것이 우리가 서로를 지배해야 한다는 의미입니까? 아닙니다!

사실 "복종하다"라고 번역된 헬라어는 사람들이 종종 그 단어와 연관짓는 것에 대하여 말하고 있지 않습니다. 바울은 사람들에게 서로 학대 받아도 가만히 있는 사람이 되라고 말하고 있지 않습니다. 테이어의 헬라어-영어 신약 사전Thayer's Greek-English Lexicon of the New Testament은 21절의 "복종하다"라는 단어는 "서로의 훈계와 충고를 받아들이는 것"을 의미한다고 말합니다. 성경은 우리에게 서로의 말을 듣고 존중하라고 말하고 있습니다. "아내들아 주님께 복종하듯이 너희 남편들에게 네 자신들을 복종시켜라"라는 다음 성경구절의 의미는 남편이 그의 아내를 지배하라는 뜻이 아닙니다. 그 구절은 이 특정한

아내들에게 구체적으로 말하고 있고 그들의 남편의 말을 듣고 가정에서 남편의 위치를 존중하라고 가르치고 있습니다.

우리는 바울이 이 말을 했을 때 남편과 아내가 둘 다 구원받은 그리스도인들인 경우를 이야기 하고 있음을 이해해야 합니다. 그는 구원받지 못한 남편과 구원받은 아내에 관해서 말하고 있지 않습니다. 구원받지 못한 남편이 구원받은 아내에게 할 수 있는 영원한 가치가 있는 말이 있겠습니까? 그녀는 가장으로서의 남편의 위치 안에서는 그를 존중해주어야 하지만 그녀가 남편을 위해서 죄를 지어서는 안 됩니다. 만약에 당신의 남편이 구원받지 못했다면 말씀에 순종하고 그를 위해 기도하십시오. 성경은 여자에게 죄에 복종하라고 말하고 있지 않습니다.

에베소서 5장 21절은 말합니다. "너희는 하나님을 경외함으로 피차 복종하라." 다시 말해서 서로의 말을 들으라는 말입니다. 서로 사이좋게 지내십시오.

만약에 당신이 성령으로 충만하다면 당신은 사이좋게 지내기 쉬운 사람입니다. 사이좋게 지내기 어려운 사람들은 성령으로 충만하지 않은 사람들입니다. 그들은 성령으로 충만해지는 경험을 한번 해 보았을지도 모릅니다. 그들은 수년 전에 자기들이 경험했던 것을 기억할 수는 있겠지만 지속적으로 성령으로 충만함을 유지하지 않습니다.

당신이 성령으로 충만할 때 당신은 만족시키기 어려운 사람이 아닙니다. 그리고 만약에 누군가가 당신의 마음에 들지 않는 소리를 했다면 당신은 그것이 당신을 불편하게 하도록 내버려 두지 않습니다.

어떤 집회에서 제가 어느 사역자의 말씀을 듣고 있었는데 그 분이 믿음의 말씀에 대해서 부정적인 말을 하였습니다. 제 육신은 그가 한 말에 반응을 하고 싶었지만 성경은 우리의 육신을 제어하라고 가르치고 있습니다. 그래서 저는 제 자신을 통제하고 이렇게 말했습니다. "주님, 이 사람을 축복해주세요. 제가 그분과 대화를 했다면 그가 말하려고 했던 것은 내가 들었던 말과는 달랐다는 것을 발견할 것을 확신합니다."

저는 그의 말을 듣기 위해 제 귀를 열었습니다. 그리고 한 10분 후에 그는 제가 25년 동안 공부해오던 성경에 관한 질문의 해답을 저에게 주었습니다. 제가 만약에 그가 믿음의 말씀에 대해 부정적인 말을 했다고 그에게 마음의 문을 닫고 그의 말을 듣기를 거부했다면 어떻게 됐을까요? 저는 아직도 그 해답을 찾고 있을지도 모릅니다.

하나님은 믿는 자들이 성령의 인도를 받기 원하시고, 성령 충만한 삶의 특징을 보여주기 원하십니다. 기억하십시오. 성령 충만한 삶을 살기 위해서는 서로의 말에 귀 기울여야 합니다.

우리 자신에게 시와 찬송과 신령한 노래를 말해야 합니다. 우리가 이런 일들을 할 때, 우리는 성령충만함을 유지하게 될 것입니다. 우리는 하나님의 축복 가운데 행할 것입니다. 그리고 우리는 성령의 인도를 받는 것이 쉽다는 것을 발견하게 될 것입니다.

부록 2

기도로 하나님의 영의 인도 받기

모든 기도와 간구를 하되 항상 성령 안에서 기도하고 이를 위하여 깨어 구하기를 항상 힘쓰며 여러 성도를 위하여 구하라

엡 6:18

[이 부록은 2003년 1월 22일 플로리다주 레이크랜드에서 그리고 2003년 3월 10일 캘리포니아주 무리에타에서 열렸던 All Faith's Crusade에서 해긴 목사님께서 나누신 아침 설교 사본을 수정한 것입니다. – 편집자주]

기도라는 주제에 관해서 50년 이상 가르치면서 저는 항상 두 개의 성경구절을 사용하였습니다. 요한복음 15장 7절과

에베소서 6장 18절입니다. 이 두 성경구절은 포괄적이기 때문에 기도에 대해서 가르치기에는 이보다 더 좋은 성경구절이 없습니다. 기도에 관해서 당신이 알고 싶은 것은 무엇이든지 이 두 성경구절에서 찾을 수 있습니다.

요한복음 15장 7절에서 예수님께서 뭐라고 말씀하셨는지에 주목하십시오.

> 너희가 내 안에 거하고 내 말이 너희 안에 거하면 무엇이든지 원하는 대로 구하라 그리하면 이루리라 요 15:7

너무나 놀라운 본문이 아닙니까? 이것은 당신이 매번 기도응답을 받을 수 있는 비결을 가르쳐 줍니다. "만약에 너희가 내 안에 거하고 내 말이 너희 안에 거하면 …" 만약에 당신이 말씀대로 기도한다면 당신의 기도는 효력이 있을 것입니다. 너무나 많은 경우 우리는 말씀대로 기도하고 있지 않습니다. 말씀이 뭐라고 하고 있는지 알지 못한다면 우리는 어둠 가운데 있는 것입니다. 그러나 하나님의 말씀을 열면 빛이 있습니다(시 119:130).

말씀이 당신을 사로잡을 때까지 묵상하는 시간을 가지십시오. 그러면 당신이 원하는 것을 구할 때 당신에게 그대로 되어질 것입니다.

성령으로 기도하기

기도에 대해서 가르칠 때 제가 사용하기 좋아하는 또 다른 성경구절은 에베소서 6장 18절입니다.

> 모든 기도와 간구를 하되 항상 성령 안에서 기도하고 이를 위하여 깨어 구하기를 항상 힘쓰며 여러 성도를 위하여 구하라
>
> 엡 6:18

확대번역 성경은 이 성경구절을 이렇게 번역하고 있습니다. "항상 (모든 때와 모든 계절에) 성령으로 기도하라. 모든 [방식의] 기도와 간구로." 성령으로 기도한다는 것이 무엇을 의미합니까? 고린도전서 14장에 이 주제에 관한 가르침이 있습니다.

> 방언을 말하는 자는 사람에게 하지 아니하고 하나님께 하나니 이는 알아듣는 자가 없고 영으로 비밀을 말함이라 고전 14:2

"방언을 말하는 자"는 하나님께 말하는 것입니다. 그것이 바로 기도 아닙니까? 기도의 또 다른 정의는 하늘에 계신 아버지와 교제하는 것입니다. 그러므로 바울은 여기서 기도에 대해서

말하고 있습니다. 이 성경구절의 두 번째 부분이 말하고 있습니다. "이는 알아 듣는 자가 없고 영으로 비밀을 말함이라." 바울은 성령 안에서 기도하는 것에 대하여 말하고 있습니다. 그는 방언으로 기도하는 것에 대해서 말하고 있습니다.

이 성경구절의 마지막 부분은 성령 안에서 기도하는 사람은 "비밀을 말한다"고 말하고 있습니다. 이것이 무엇을 의미합니까? 하나님은 모든 것을 알고 계시기 때문에 이것은 하나님에게 비밀이 아닙니다. 바로 우리에게 비밀인 것입니다. 우리는 모든 것을 알고 있지 않습니다. 주님께서 우리에게 계시를 주시거나 보여주시지 않는 한 우리는 자주 어떤 상황에 대해서 어떻게 기도해야 할지 모릅니다. 우리는 무엇을 위해 마땅히 기도해야 할지 모릅니다. 그러나 하나님께 감사하게도 성령님께서는 아십니다. 우리가 그분께 허락하기만 한다면 그분은 우리가 기도하도록 도와주실 것입니다.

기도로 성령님의 인도 받기

우리는 많은 경우 기도로 성령님의 인도를 받는 것의 유익을 누리지 않았습니다. 우리는 가끔 더 이상 영어로 할 말이 없어질 때까지 기도합니다. 어느 정도의 시간이 지나면 우리는 우리가 할 수 있는 모든 말을 하고 더 이상 할 말이 없어집니다. 만약에 우리가 이 시점에서 멈춘다면 우리의 기도생활은 우리가 아는 것에 제한 받을 것입니다. 그러나 기억하십시오. 하나님께서는 모든 것을 알고 계십니다. 그분은 우리가 모르는 것을 알고 계십니다. 그분은 우리가 기도하는 것을 도와주고 싶어 하십니다. 아무것도 효력이 없을 때에도 성령으로 기도하는 것이 결과를 가져올 것입니다.

고린도전서 14장이 성령으로 기도하는 것에 대해서 무엇이라고 말하는지 살펴봅시다.

> 내가 만일 방언으로 기도하면 나의 영이 기도하거니와 나의 마음은 열매를 맺지 못하리라 고전 14:14

이 구절에서 바울은 우리가 방언으로 기도하면 우리의 영이 기도한다고 말합니다. 확대번역 성경은 이렇게 말하고 있습니다. "내 영이 [내 안에 계신 성령으로] 기도한다." 다시 말하면 내 영에게 발음을 주시는 것은 성령님이시지만 실제로 기도하는 것은 내 영인 것입니다.

내 영이 다 하는 것도 아니고 성령님께서 다 하시는 것도 아닙니다. 둘 다 함께 일하는 것입니다. 성령님께서 우리의 영에게 발음을 주시고 우리는 우리의 머리가 아닌 영으로 기도하는 것입니다. 이것이 바로 기도로 성령인도를 받는 것입니다.

우리는 성령인도를 받는 법을 배워야 합니다! 그리고 방언으로 기도하는 것은 우리가 기도할 필요가 있는 줄도 모르는 것들을 위해 기도할 수 있는 길을 열어줍니다. 에베소서 6장 18절을 다시 봅시다.

> 모든 기도와 간구를 하되 항상 성령 안에서 기도하고 이를 위하여 깨어 구하기를 항상 힘쓰며 여러 성도를 위하여 구하라
>
> 엡 6:18

헬라어 학자들은 원문 헬라어 원고에 따르면 이 구절의 앞부분은 문자 그대로 "성령의 인도를 따라 기도하라"라고 말합니다.

물론 이 문장은 방언으로 기도하는 주제도 담고 있지만 성령님께서 당신이 어떻게 기도해야 할지 인도하실 것이라는 뜻도 담고 있습니다. 그분은 당신을 때에 따라 다르게 인도하실 수도 있습니다. 두 상황이 같아 보일지라도 한번은 이렇게 또 다른 때에는 다른 방법으로 기도하도록 성령님께서 인도하실 수도

있습니다. 우리는 하나님께서 왜 어떤 특별한 방식으로 기도하도록 우리를 인도하시는지 모를 수도 있습니다.

중요한 것은 성령님의 인도를 따르는 것입니다. 그분은 당신의 상황에 관해서 최고의 길을 보여주실 것입니다. 모든 상황 가운데 어떻게 기도해야 할지 알도록 그분이 당신을 인도하도록 바라보십시오. 그분은 당신을 바른 방향으로 인도하실 것입니다.

우리는 왜 기도해야 하는가?

어떤 사람들은 우리가 왜 기도해야 하는지 물을 수도 있습니다. 그들은 이렇게 생각할 수도 있습니다. '하나님께서는 이미 모든 것을 알고 계셔. 그렇다면 하나님께서는 내가 무엇을 필요로 하는지도 이미 알고 계시지 않나?' 네, 그분은 알고 계십니다. 그러나 당신은 그래도 기도해야 합니다. 왜 그래야 하는지 제가 설명해드리겠습니다.

세상이 창조되었을 때 하나님께서는 세상을 만드시고 그 안의 모든 충만한 것들, 즉 은과 금과 수천개의 동산들에 있는 소떼들, 그리고 이 땅에 있는 모든 것들을 창조하셨습니다. 그런 후에 하나님께서 하나님의 사람, 즉 아담을 만드셨습니다.

그리고 하나님께서 말씀하셨습니다. "아담아, 내 손으로 만든 모든 것들을 다스릴 권한을 네게 주노라." 아담은 온 세상을 다스릴 권세를 가지고 있었습니다(창 1:26-28).

그러나 아담은 반역을 하였습니다. 그는 사단에게 모든 것을 넘겨주었습니다. 그리고 하나님의 말씀이 고린도후서 4장 4절에 사단이 이 세상의 신이라고 말하고 있습니다. 그가 어떻게 이 세상의 신이 되었을까요? 아담이 반역을 하였을 때 그는 사단에게 그의 주권을 넘겨주었습니다. 사단은 아담이 그 주권을 팔아 넘겼기 때문에 이 세상을 다스리고 있는 것입니다.

하나님께 감사하게도 예수님께서 오셔서 우리의 주권을 다시 회복하셨습니다. 그렇다면 우리는 왜 기도해야 할까요? 우리가 기도해야 한다고 암시하는 성경구절 세 개를 드리겠습니다.

마태복음 6장 5절부터 15절까지 예수님은 기도라는 주제에 관해서 가르치고 계십니다. 8절에서 예수님께서 뭐라고 말씀하셨는지 보십시오.

> … 구하기 전에 너희에게 있어야 할 것을 하나님 너희 아버지께서 아시느니라 마 6:8

만약에 당신의 하늘 아버지께서 당신이 무엇을 필요로 하는지 아신다면 왜 바로 보내시지 않으실까요? 왜 당신이 그분께 구해야만 할까요? 8절에서 예수님께서는 우리가 필요한 것을 아버지께 구하기를 기대하신다고 분명히 말하고 있습니다. 이 말씀은 하나님께서 당신이 그분께 구하지 않는 한 당신이 필요로 하는 것을 보내시지 않으실 것을 암시합니다.

이제 마태복음 9장을 보십시오. 여기에 또 예수님께서 기도에 대한 주제에 관해서 가르치고 계십니다.

> 예수께서 모든 도시와 마을에 두루 다니사 그들의 회당에서 가르치시며 천국 복음을 전파하시며 모든 병과 모든 약한 것을 고치시니라 무리를 보시고 불쌍히 여기시니 이는 그들이 목자 없는 양과 같이 고생하며 기진함이라 이에 제자들에게 이르시되 추수할 것은 많되 일꾼이 적으니 그러므로 추수하는 주인에게 청하여 추수할 일꾼들을 보내 주소서 하라 하시니라 마 9:35-38

제가 당신에게 질문하겠습니다. 추수는 누구의 것입니까? 하나님의 추수입니까? 맞습니다! 그분이 추수의 주인이십니까? 맞습니다! 그분이 일꾼들을 원하십니까? 맞습니다!

만약에 그분이 일꾼들을 원하신다면 왜 그분께서 바로 보내시지 않으십니까? 그분께서 이미 보내시길 원하신다면 우리가 그분께 구해야 할 필요가 있습니까? 그러나 예수님께서는 일꾼들을 보내달라고 아버지께 기도하라고 우리에게 분명히 말씀하고 계십니다. 이 말씀은 우리가 하나님께 구하지 않는 한 하나님께서 일꾼들을 보내시지 않으실 것을 암시하고 있습니다.

이제 마태복음 18장의 이 구절들을 보십시오.

> 진실로 너희에게 이르노니 무엇이든지 너희가 땅에서 매면 하늘에서도 매일 것이요 무엇이든지 땅에서 풀면 하늘에서도 풀리리라 진실로 다시 너희에게 이르노니 너희 중의 두 사람이 땅에서 합심하여 무엇이든지 구하면 하늘에 계신 내 아버지께서 그들을 위하여 이루게 하시리라 마 18:18-19

예수님께서 우리에게 이 땅에 있는 동안 무언가를 하라고 말씀하고 계신 것에 주목하십시오. 하늘이 움직이기 전에 이 땅에서 무언가가 일어나야 합니다. 19절은 이 땅에서 어떤 일이 일어나야 하는지 말해줍니다. "너희 중의 두 사람이 땅에서 합심하여 무엇이든지 구하면." 그들은 구해야만 합니다! 그들은 기도해야만 합니다!

끝까지 기도하는 것 Praying Through

하늘이 움직이기 전에 이 땅에서 행동이 취해져야 합니다. 그러므로 당신은 성령님께서 기도에 헌신된 사람들을 찾고 계시다는 것을 알 수 있습니다. 우리는 이런 사람들을 보고 "기도의 용사들"이라고 부릅니다. 이 사람들은 자신들을 기도에 온전히 내어주고 누군가의 기도를 사용할지 찾으시기 위해 이 땅위를 움직이시는 하나님의 영을 자주 감지합니다!

왜 일까요? 왜냐하면 누군가가 그것에 대해서 기도를 해야만 하기 때문입니다. 누군가가 기도로 해결해야 합니다! 당신은 "무언가를 기도로 해결해야 한다"는 말의 뜻이 무엇인지 아십니까?

옛 오순절 사람들은 이런 것을 "끝까지 기도하기"라고 불렀습니다. 사람들이 인도 – 기도를 하고 싶은 욕구나 부담감 – 라고 부르는 것을 당신이 받게 될 때 당신은 무엇을 합니까? 당신은 기도해야 합니다! 그리고 당신이 무엇을 위해 기도할지 모를 때에는 방언으로 기도하며, 이는 고린도전서 14장이 말했듯이 당신이 신비를 말하고 신성한 비밀들을 말하는 것입니다.

"끝까지 기도하는 것"은 당신이 승리했다는 신호가 올 때까지 계속 기도하는 것을 의미합니다. 승리의 신호는 무엇을 뜻합니까? 당신이 기도를 어느 정도 하고난 후에 당신 자신에게 웃거나 방언으로 노래하기 시작할 것입니다. 조금 전에 당신은 부담감을 느꼈습니다. 당신은 무거움을 느꼈습니다. 그래서 당신은 기도했습니다. 그리고 갑자기 당신은 이 부담감이 사라진 것 같이 느껴집니다. 당신은 기쁨을 느낍니다. 이런 징조들은 당신이 상황에 대하여 끝까지 기도했고 승리를 얻었다는 것을 알려줍니다!

끝까지 기도하는 것의 중요성

당신이 기도하라는 부담감이나 인도를 받을 때 그 인도에 내어드리고 끝까지 기도하는 것은 중요합니다. 당신이 그렇게 한다면 승리를 경험할 것입니다.

몇 년 전에 저는 볼리 형제라는 선교사의 간증을 순복음 잡지에서 읽었습니다. 나중에 저는 달라스에 있는 교회에서 그의 설교를 들을 기회가 있었습니다. 그 때 그는 자신의 간증을 또 한 번 나눴습니다.

볼리 형제와 그의 아내는 1920년대에 아프리카 선교사로 나갔습니다. 그들은 육지로 들어가 아프리카의 가장 중심부로 갔고 원주민 종족을 위해 선교원을 지었습니다.

어느 날 이웃 종족이 그가 사역하고 있던 종족의 여섯 살짜리 여자아이를 납치해갔습니다. 볼리 형제는 그 지역 종족들의 풍습을 알고 있었습니다. 그는 말했습니다. "만약에 우리가 그 여자아이를 해가 지기 전에 찾아내지 못한다면 그녀를 다시는 볼 수 없을 것이라는 것을 알고 있었습니다. 저는 구원받고 그 종족의 언어를 말할 수 있는 원주민 남자를 찾았습니다. 그리고 우리는 그쪽으로 갔습니다."

"우리가 그곳에 도착하기 전에 우리는 끔찍한 냄새를 맡을 수 있었습니다. 그들은 동물을 가져다 죽이는 관습이 있었습니다. 그 종족의 넷 또는 다섯 명의 여인들이 그것을 준비해야 했습니다. 그리고 나서 그들은 동물을 그 종족의 땅의 입구에 막대기로 매달아 놓습니다. 그들의 땅으로 들어오는 모든 사람들은 칼을 가지고 그 고기의 일부분을 잘라먹어야 했습니다. 만약에 먹지 않는다면 고기를 준비한 여인들이 죽임을 당하게 되었습니다."

덥고 습한 기후로 인해 그 고기는 썩어있었습니다. 볼리 형제는 이 통역사에게 말했습니다. "우리는 저것을 먹어야만 합니다. 우리는 그 여인들이 죽는 것을 원하지 않습니다. 예수님께서 말씀하셨습니다. '믿는 자들에게는 이런 표적이 따르리니 그들이 독약을 마실지라도 그들을 해하지 못하리라.' 그러니 우리가 어떤 독을 먹을지라도 죽지 않을 것입니다."

"그래서 우리는 '예수의 이름으로.' 라고 말하고 그 썩은 고기 한 덩어리를 잘랐습니다. 우리는 각자 한 입씩 먹었고 그것은 우리에게 어떤 영향도 미치지 못했습니다."

"우리는 그 종족의 추장과 거래를 했습니다." 볼리 형제가 말했습니다. "우리는 그에게 장신구들과 구슬들을 주고 여자아이를 돌려받았습니다. 그러나 밤이 우리를 붙들었습니다."

밤에 밀림을 다니는 것은 위험했기 때문에 볼리 형제와 통역사는 그 종족의 손님 접대 오두막에서 하룻밤을 지내게 되었습니다. 밤 12시가 되었을 때 그들은 들려오는 북소리에 깨었습니다. 볼리 형제에게 통역사가 말했습니다. "이건 우리가 죽는다는 뜻입니다. 저것은 죽음의 흉조knell입니다. 추장은 그가 여자아이를 포기할 필요가 없다는 것을 깨달았습니다. 그들이 우리를 죽이고 다시 그녀를 데려가면 됩니다."

그 두 남자는 종족의 원주민들이 원두막 바깥에서 움직이는 것을 들을 수 있었습니다. 그들은 금방 죽게 될 것을 알고 자신들을 하나님의 손에 맡기고 바깥으로 걸어 나갔습니다. 볼리 형제가 말했습니다. "저는 제 눈을 감고 기다렸습니다. 저는 그것이 몇 초밖에 안 되는 것을 알았지만 제가 느끼기에는 정말 긴 시간 같았습니다. 아무 일도 일어나지 않았습니다. 저는 이상한 소리를 들었고 제가 눈을 떠 보았더니 용사들이 바닥에 있는 것이었습니다! 그리고 그들은 위 아래로 절하고 있었고 그들의 칼들은 땅바닥에 놓여있었습니다!"

볼리 형제는 통역사에게 그 용사들이 뭐라고 말하고 있는지 물었습니다. 통역사는 대답했습니다. "그들은 당신을 경배하고 있습니다. 그들은 당신이 하나님이라고 생각하고 있습니다. 그들이 말하기를 당신이 원두막에서 걸어 나왔을 때 하얀 옷을 입은 두 거인이 거대한 칼을 양손에 들고 당신 옆에서 같이 걸어 나왔다고 합니다."

해방시키신 하나님께 감사드립니다! 그러나 그것은 이 이야기의 끝이 아닙니다. 더 남아있습니다.

이 기적적인 해방 후에 볼리 형제는 또 다른 지역 종족을 위해 선교원을 맡고 있던 어느 여인을 확인하러 갔습니다. 그가 도착했을 때 그 여인이 그에게 물었습니다. "볼리 형제, 지난 월요일 저녁 12시경에 당신에게 무슨 일이 있었습니까?"

그는 말했습니다. "왜 물으시죠?"

그녀가 말했습니다. "저는 항상 하루에 14시간이나 16시간을 일하는데 그 월요일에 저는 매우 피곤했습니다. 그래서 저는 침대에 들어가 잠이 들었습니다. 저는 기도를 해야 한다는 부담감에 깨어났습니다. 저는 침대에 누워서 기도하기 시작했습니다. 그러나 너무 졸려서 다시 잠이 들었습니다. 저는 다시 깨어났습니다. 그리고 저는 기도를 해야 한다는 똑같은 부담감을 받았습니다! 그래서 저는 기도했지만 너무 지쳐서 다시 잠이 들었습니다. 저는 밤 10시 30분에 세 번째로 깨어나 일어나기로 결정했습니다. 왜냐하면 거기에 누워있으면 다시 잠들 것을 알았기 때문입니다."

그 여인은 침대에서 나와 무릎을 꿇고 이렇게 말했습니다. "주님, 저는 주님께서 저를 깨워 제가 무엇을 위해 기도하길 원하시는지 모릅니다. 저는 제 기도가 필요한 사람이 누군지 모릅니다. 저는 그저 성령님께서 제게 말을 주실 것을 신뢰합니다." 그리고 그녀는 방언으로 기도하기 시작했습니다. 그녀는 한 시간 반가량 방언으로 기도했습니다.

그녀가 말했습니다. "제가 기도하는 중에 당신의 얼굴이 제 앞을 계속 지나갔습니다. 저는 제가 당신을 위해서 기도하고 있는 것인지 몰랐습니다. 12시가 되자 저는 제가 기도로 승리했음을 알았습니다. 저는 웃기 시작했습니다. 저는 성령 안에서 웃기 시작하고 노래했습니다! 부담감이 없어졌습니다. 저는 무거움의 영 대신에 가벼움의 영을 느꼈습니다."

그녀가 기도한 밤은 볼리 형제가 죽음으로부터 해방된 밤과 같은 밤이었습니다. 그녀는 왜 밤중에 깨어 기도해야 하는지 알 수 없었습니다. 하지만 하나님께서는 알고 계셨습니다! 그녀가 기도하지 않았다면 어떻게 되었을까요? 그녀가 기도했음으로 인해 하나님께 감사합니다!

당신은 기도하라는 인도를 따르는 것이 얼마나 필요한 것인지 보실 수 있습니다. 우리가 무엇을 위해서 기도하는지 모를 때에도 말입니다. 그 후에 가끔 우리는 무엇을 위해 기도하고 있었는지 발견합니다. 가끔은 천국에 갈 때까지 모르는 경우도 있습니다. 그러나 성령님께서 우리에게 기도하도록 인도하실 때 우리가 반응하는 것이 얼마나 중요한지요!

성령께서 기도하라고 인도하실 때에 기도하십시오!

제 인생에서 기도하라는 성령의 인도를 받았던 때의 경험을 당신과 나누고 싶습니다.

1979년도에 저는 기도와 치유학교를 레마 캠퍼스에서 열고 있었습니다. 찬양단이 노래를 조금 부르고 헌금을 걷은 후 그들은 예배를 저에게 넘겼습니다. 저는 예배를 인도하기 전에 자주 방안에서 혼자 남아 기도했습니다.

어느 날 저는 치유학교가 진행되고 있던 그 작은 강단으로 걸어 들어오고 있었습니다. 헌금을 걷고 있는 동안 저는 강단에 앉았습니다. 갑자기(이게 바로 성령님께서 움직이시는 방식입니다), 저에게 기도하라는 부담감이 왔습니다! 그리고 저는 생각했습니다. '나는 기도해야 한다. 나는 지금 당장 기도해야 한다. 누군가의 생명이 위험하다. 누군가가 죽음에 가까이 있다.' 저는 제 영에서 제가 모르는 누군가가 죽음에 가까이 있다는 것을 느꼈습니다.

저는 일어나서 청중에게 말했습니다. "여러분, 우리는 지금 기도해야 합니다. 제게 부담감이 있습니다. 저는 기도해야 하니 우리 다같이 지금 기도합시다." 저는 기도하기 위해 무릎을 꿇었고 제 무릎이 바닥에 닿는 순간 저는 성령 안에 있었습니다. 저는 방언으로 기도하고 있었고, 적어도 45분간 진심으로 기도했습니다.

그런 후에 저는 승리의 신호를 받았습니다. 저는 웃기 시작했습니다. 저는 제 자신에게 조용히 노래했습니다. 하나님을 찬양합니다! 저는 그 일이 어떤 일이었든지 누구였든지 제가 승리하였음을 알고 있었습니다.

그날 밤 9시 30분에 저는 어떤 젊은 여인으로부터 전화를 받았습니다. 이 여인의 어머니는 수년 동안 우리 사역의 훌륭한 후원자였습니다. 오후 3시경에 텍사스주 포트아더에 있는 텍사코 정제소에서 폭발이 일어났습니다. 이 젊은 여인의 아버지가 다른 17명의 남자들과 함께 그곳에 갇혀 있었습니다. 여섯 시간 반이 지났습니다. 그 사람들은 아직도 갇혀 있었고 소방관들은 아직까지 불을 끄지 못했습니다. 그들은 모두 그 남자들의 생사에 대해 두려워했습니다.

이 젊은 여인은 제게 기도를 부탁하기 위해 전화를 건 것이었습니다. 저는 전화기를 잡고 웃기 시작했습니다. 저는 갑자기 제가 그날 무엇을 위해 기도하고 있었는지 깨달았기 때문입니다. 저는 말했습니다. "더 이상 기도할 필요가 없습니다. 저는 이미 그것에 관한 승리를 얻었습니다. 이미 승리하였습니다! 그분은 괜찮으십니다. 당신의 아버지는 괜찮으십니다."

아내와 저는 새벽 1시 30분에 전화 벨소리에 깨어 침대에서 나왔습니다. 우리 집에는 두 개의 전화가 있었기 때문에 둘이 동시에 전화를 받았습니다.

그 젊은 여인이었습니다. 그녀는 우리에게 말했습니다. "엄마가 금방 전화하셨어요. 그들이 드디어 불을 껐고 그 안으로 들어갔을 때 그들은 믿을 수 없었어요. 18명 모두가 안전했어요." 할렐루야!

성령님께서 당신에게 기도하라고 인도하실 때 기도하는 것이 왜 그렇게 중요한지 이제 아시겠습니까? 만약에 제가 기도하지 않았다면 어떻게 됐을까요? 치유학교의 모든 사람들이 저와 함께 기도했습니다. 만약에 우리가 성령님께 양보하지 않았다면 어떻게 됐을까요? 그 남자들은 죽었을 수도 있습니다!

성령님께서 우리를 인도하실 때 기도하는 법을 배운다면 우리는 많은 위험을 피할 수 있습니다. 만약에 성령충만한 신자들이 그분이 주시는 감동을 따르고 기도를 의식하는 사람들이 된다면 많은 문제들이 일어나지 않을 것입니다. 사람들이 정말 성령의 인도를 받았다면 많은 끔찍한 일들이 절대로 일어나지 않았을 것입니다.

우리가 성령으로 기도할 때 위대한 일들이 일어납니다

성령의 인도를 받는 것은 우리의 삶 속에서 어려움들을 피하는 것보다 더 많은 일을 합니다. 우리가 하나님의 놀라운 역사의 도구가 되도록 도와주기도 합니다. 과거에 위대하고 능력 있는 일들은 하나님의 사람들이 기도할 때 일어났습니다. 그리고 위대하고 능력 있는 일들은 앞으로도 계속 더 일어날 것입니다. 그러나 하나님께서 "오, 난 이 사람도 축복하고 저 사람도 축복할거야."하고 결정하셨기 때문에 그 일들이 일어나는 것은 아닙니다.

그렇습니다! 그 일들은 우리의 기도의 결과로 나타날 것입니다!

1942년도에 저는 동부 텍사스의 한 교회에서 목회를 하고 있었습니다. 그 해 11월말에 저는 새벽 2시에서 4시 사이에 일어났습니다. 월요일부터 금요일까지 저는 거실로 들어가 한 시간 동안 기도했습니다.

저는 그렇게 하도록 인도 받은 것은 아닙니다. 어떤 때에는 그렇게 인도받을 수 있습니다. 어떤 때에는 특정한 방법으로 특정한 내용에 대해서 기도하도록 인도를 받고 부담감이 생길 때가 있습니다. 그러나 저는 단지 영어로 기도를 시작했습니다. 그리고 이렇게 말했습니다.

"주님, 계시의 세 가지 은사, 즉 지혜의 말씀과 지식의 말씀과 영 분별, 그리고 능력의 세 가지 은사, 즉 믿음의 은사와 능력 행함과 병 고침, 그리고 방언의 세 가지 은사, 즉 예언과 각종 방언과 방언 통역의 성령의 모든 은사와 나타남을 감사드립니다."

"주님, 우리는 방언의 은사들의 나타남을 풍성히 받았습니다. 우리는 방언과 방언통역이 없는 예배를 드려본 적이 없습니다. 우리는 계시의 은사들의 나타남을 풍성히 받았습니다. 그러나 제가 볼 때에 이 능력의 은사들, 즉 믿음의 은사와 능력 행함과 병 고침의 은사들의 나타남이 더 있어야 할 것 같습니다.

그러니 저는 우리가 이전에 보아왔던 이 은사들보다 더 위대한 나타남을 보게 될 것을 기도합니다."

15분 후에 저는 영어로 말할 수 있는 모든 것을 말했습니다. 저는 제 지성이 기도할 수 있는 것을 기도하는 일을 마쳤습니다. 그래서 저는 말했습니다. "저는 제 안에 살아계신 성령님께서 이것과 하나님께서 제가 기도하길 원하시는 다른 모든 것들을 위해 기도할 말을 주실 것을 신뢰합니다." 그래서 저는 나머지 시간에 방언기도를 했습니다.

저는 매주 일주일에 5일을 그렇게 기도했고, 11월의 마지막 2주부터 1943년 2월 23일까지 그렇게 기도했습니다. 3개월 이상의 기간입니다! 그리고 2월 23일 주님께서 제게 말씀하시기 시작하셨습니다.

주님이 제게 말씀하셨습니다. "제2차 세계대전이 끝날 즈음에 미국에 신유의 부흥이 올 것이다." 그 부흥은 1947년에 시작되었고 사람들이 치유받게 하는 것은 세상에서 가장 쉬운 일이 되었습니다. 저는 나중에 다른 사람들도 성령의 인도를 받아 그 방향을 따라 기도했다는 것을 알게 되었습니다. 우리는 서로와 교통할 방법이 없었고 우리 모두가 똑같은 것을 위해 기도하고 있다는 것을 알지 못했습니다. 그러나 하나님께 감사하게도 그분은 우리의 기도에 응답하셨습니다.

기도로 인내하기

저는 우리가 승리를 얻을 때까지 기도 안에 머문다면 오늘날에도 이와 똑같은 돌파가 일어날 것을 믿습니다.

> 모든 기도와 간구를 하되 항상 성령 안에서 기도하고 이를 위하여 깨어 구하기를 항상 힘쓰며 여러 성도를 위하여 구하라
>
> 엡 6:18

인내하는 것이 무엇입니까? 어떤 친구가 이것을 "참을성 stickability"이라고 부르는 것을 들은 적이 있습니다. 그냥 기도 안에 머무르십시오. 당신이 승리의 확신이 들 때까지 기도 안에 머무르십시오. 저는 많은 경우에 우리는 어떤 일이 우리가 생각했던 것만큼 빨리 일어나지 않으면 너무 금방 포기한다고 생각합니다. 그리고 우리가 포기한다면 우리는 하나님께서 의도하셨던 결과를 보지 못하게 될 것입니다.

동부 텍사스의 석유 광산에 관해 들었던 이야기가 생각납니다. 수년 동안 대부분의 석유가 펌프질되었습니다. 그러나 1930년대 후반기에는 왕성하게 성장하고 있었습니다. 석유사업을 하고 있던 어떤 남자가 백만 불을 벌었다가 모두 잃었습

니다. 어떤 은행이 그가 또 다른 유전을 팔수 있도록 그를 재정적으로 도왔습니다. 돈이 떨어졌을 때 그는 아직도 석유를 발견하지 못했습니다. 그러나 그는 15미터(50피트)만 더 깊이 파면 유전을 찾게 될 것을 확신하였습니다.

결국 그는 은행에 돈을 더 빌려주기를 부탁했습니다. 그는 15미터를 더 팠고 용암처럼 솟아오르는 유전을 발견하였습니다. 그는 하룻밤 만에 억만장자가 되었습니다.

만약에 그가 포기했더라면 어떻게 됐을까요? 만약에 은행이 그에게 "안 됩니다. 우리는 당신에게 줄 수 있는 모든 것을 주었습니다. 더 이상 줄 수 없습니다! 이것이 끝입니다."라고 말했다면 어떻게 되었겠습니까? 그러나 그들은 조금 더 깊이 팠고 용암처럼 솟아오르는 유전을 발견하였던 것입니다.

만약에 우리가 조금만 더 인내하고 기도한다면, 우리가 조금만 더 결단한다면, 우리는 성령의 은사들의 더 위대한 나타남을 볼 수 있을 것입니다. 우리는 위대하고 능력 있는 일들이 일어나는 것을 보게 될 것입니다!

부록 3

사역 안에서 성령인도 받기

"… 내가 보는 것은 사람과 같지 아니하니 사람은 외모를 보거니와 나 여호와는 중심을 보느니라" 삼상 16:7

[이 부록은 1988년 7월 28일, 30일 저녁에 케네스 해긴 목사님께서 오클라호마주 털사에서 열렸던 케네스 해긴 사역 주최 캠프 미팅에서 하셨던 설교 사본을 수정한 것입니다. - 편집자주]

1943년과 1944년에 저는 텍사스주 북중부지방의 파머스빌이라는 마을의 어느 작은 교회에서 목회를 하고 있었습니다. 어느 어머니날에 저는 다른 교회에서 특별 주일 오후 예배 때에 설교를 해달라는 부탁을 받았습니다. 그렇게 하기 위해서는 제 교회의 아침 예배를 빠져야만 했습니다. 그래서 우리는 어머니날 예배를 그날 저녁에 드리겠다고 우리 교인들에게 말했습니다. (어차피 저녁 예배 때 사람들이 가장 많이 왔습니다.) 5월이었기 때문에 날씨가 따뜻해서 창문과 문들은 모두 열려있었고 어떤 때에는 안에 있는 사람보다 밖에 있는 사람들이 더 많았습니다.

제가 몇 주간 준비했던 어머니날 설교는 정말 좋은 설교였습니다. 저는 제 노트와 성경구절들과 벤자민 플랭클린과 아브라함 링컨과 그 외의 사람들의 명언들도 가지고 있었습니다. 저는 준비가 되어있었습니다.

예배 중에 몇몇 청소년들과 어린이들이 어머니들에 관한 낭독과 어머니들을 경외하는 모든 노래들을 불렀습니다. 모든 것이 어머니들에 관한 것이었습니다.

제가 설교를 하기 직전에 젊은 여성 세 명이 마지막 노래를 부르고 있을 때 저는 앉아있었고 하나님의 영이 저에게 말씀하셨습니다. "이들이 노래를 끝내자마자 일어나서 치유 예배를 가져라."

저는 말했습니다. "사랑하는 주님, 그들은 제가 정신 나갔다고 생각할 것입니다. 오늘은 어머니날입니다. 이해하지 못하십니까? 치유에 관한 말은 아무것도 없었습니다. 예배 전체가 어머니들에 관한 것이었습니다." 제 머리와 제 심령 사이에 논쟁이 있었기 때문에 저는 그들이 불렀던 노래가 무슨 내용인지 몰랐습니다. (하나님의 영은 당신의 머리에 거하시지 않습니다. 그는 당신의 심령에, 당신의 영 안에 거하십니다. 그는 당신의 머리에게 말씀하시지 않습니다. 그는 당신의 가장 속 깊은 존재인 영 안에서 당신에게 말씀하십니다.)

저는 청중을 둘러보았습니다. 거기 있던 몇몇 남자들은 순전히 자기 자녀들이 프로그램의 일부였기 때문에 온 사람들이었습니다. 저는 생각했습니다. '이 남자들은 크리스마스가 될 때까지 돌아오지 않을 거야. 그냥 어머니들에 대해서 설교하고 조금 감성적이 되게 하면 그들이 나와서 구원받을 수도 있을 거야.'

설교를 할 시간이 되었을 때 저는 강단위에 올라섰고 제 노트와 준비한 성경구절을 읽었습니다. 그러나 저는 더 이상 계속할 수 없었습니다. 저는 제 성경을 덮고 말했습니다. "여러분, 저는 하나님께 순종해야만 합니다." 그리고 우리는 정말로 강력한 치유 예배를 가졌습니다!

성도들 중에 나이든 남자분이 똑바로 걷지 못했습니다. 제가 그에게 손을 얹었을 때 하나님의 능력이 그를 강하게 만지셨고, 즉시 그는 똑바로 일으켜 세워졌습니다. 그는 뒤로 몸을 젖히고 손으로 마루바닥을 만졌습니다. 그는 앞으로 몸을 굽혀 손으로 마루바닥을 만졌습니다. 그는 온갖 체조를 하였습니다. 보통 그 연배의 남자들은 - 그는 69세정도 되었습니다 - 그렇게 할 수 없었을 것입니다. 회중들이 이것을 보았을 때 그들은 용기를 얻고 치유받기 시작했습니다!

저는 자녀들을 보기 위해 온 아버지들을 돌아보았습니다. 제가 어머니에 관한 설교를 하지 않으면 다시는 돌아오지 않을 것이라고 생각했던 사람들이었습니다. 그들은 자리에 앉아 울고 있었습니다. 하나님께서 그들을 만지셨습니다. 그분께서는 그들을 어떻게 만나야 할지 알고 계셨습니다. 그리고 그 중 많은 남자들이 다음 주에 교회로 다시 왔습니다!

많은 경우, 우리 설교자들은 우리의 프로그램을 다 계획해 놓았기 때문에 무슨 일이 일어나야 하는지 알고 있다고 생각합니다. 성령님께서 예배에서 움직이고 싶어 하시지만 우리들이 우리의 프로그램대로 하려고 밀어붙이기 때문에 그분은 역사하시지 못합니다.

설교의 개요를 갖는 것은 좋은 것입니다. 그리고 필요하다면 개요대로 설교하는 것도 괜찮습니다. 그러나 만약에 성령님께서 당신에게 다른 것을 하라고 인도하신다면 그렇게 하십시오! 당신은 하나님께서 종종 우리가 그분이 어떻게 행동해야 한다고 생각하는 대로 행동하시지 않는 다는 것을 주목하신 적이 있습니까? 우리는 하나님께서 그분의 계획을 처음부터 끝까지 말씀해 주신다면 얼마나 좋을까 하고 생각합니다. 그렇지 않습니까? 만약에 하나님께서 그렇게 하셨다면 우리의 육신과 생각이 감당하기가 훨씬 쉬웠을 것입니다.

선지자 사무엘은 주님으로부터 이스라엘의 새로운 왕에게 기름 부으라는 분부를 받았을 때 이와 같은 문제를 다뤄야 했습니다. 사무엘상 16장의 한 부분을 보겠습니다.

> 여호와께서 사무엘에게 이르시되 내가 이미 사울을 버려 이스라엘왕이 되지 못하게 하였거늘 네가 그를 위하여 언제까지 슬퍼하겠느냐 너는 뿔에 기름을 채워 가지고 가라 내가 너를 베들레헴 사람 이새에게로 보내리니 이는 내가 그의 아들 중에서 한 왕을 보았느니라 하시는지라 … 사무엘이 여호와의 말씀대로 행하여 베들레헴에 이르매 성읍 장로들이 떨며 그를 영접하여 가로되 평강을 위하여 오시나이까 이르되 평강을 위함이니라 내가 여호와께 제사하러 왔으니 스스로 성결하게 하고 와서 나와 함께 제사하자 하고 이새와 그의 아들들을 성결하게 하고 제사에 청하니라 그들이 오매 사무엘이 엘리압을 보고 마음에 이르기를 여호와의 기름 부으실 자가 과연 주님 앞에 있도다 하였더니 여호와께서 사무엘에게 이

르시되 그 용모와 키를 보지 말라 내가 이미 그를 버렸노라 내가 보는 것은 사람과 같지 아니하니 사람은 외모를 보거니와 나 여호와는 중심을 보느니라 하시더라 이새가 아비나답을 불러 사무엘의 앞을 지나게 하매 사무엘이 이르되 이도 여호와께서 택하지 아니하셨느니라 하니 이새가 삼마로 지나게 하매 사무엘이 이르되 이도 여호와께서 택하지 아니하셨느니라 하니라 이새가 그의 아들 일곱을 다 사무엘 앞을 지나게 하나 사무엘이 이새에게 이르되 여호와께서 이들을 택하지 아니하셨느니라 하고 또 이새에게 이르되 네 아들들이 다 여기 있느냐 이새가 이르되 아직 막내가 남았는데 그는 양을 지키나이다 사무엘이 이새에게 이르되 사람을 보내어 그를 데려오라 그가 여기 오기까지는 우리가 식사 자리에 앉지 아니하겠노라 이에 사람을 보내어 그를 데려오매 그의 빛이 붉고 눈이 빼어나고 얼굴이 아름답더라 여호와께서 이르시되 이가 그니 일어나 기름을 부으라 하시는지라 사무엘이 기름 뿔병을 가져다가 그의 형제 중에서 그에게 부었더니 이 날 이후로 다윗이 여호와의 영에게 크게 감동되니라 사무엘이 떠나서 라마로 가니라 삼상 16:1,4-13

하나님께서 왜 사무엘에게 "다윗에게 가서 기름을 부어라."

라고 말씀하시지 않으셨을까요? 하나님께서 왜 탈락시키는 과정을 거치게 하셨을까요? 하나님께서 왜 사무엘에게 다음 왕이 될 사람 대신에 되지 않을 사람을 가르쳐 주셨을까요?

사무엘은 우리와 마찬가지로 인간적인 사람이었습니다. 그는 이새의 아들들 중에서 논리적인 결정을 내리려고 하였습니다. 그는 맏아들이 새로운 왕일 것이라고 생각했습니다. 그러나 주님은 사무엘에게 "그 용모와 키를 보지 말라 … 내가 보는 것은 사람과 같지 아니하니 사람은 외모를 보거니와 나 여호와는 중심을 보느니라"라고 말씀하셨습니다(7절). 만약에 주님이 우리의 겉모습을 보셨다면 우리들 중에 많은 사람들은 엉망진창이 되어 있을 것입니다.

제가 켄사스주에서 집회를 열고 있었을 때, 저는 어느 날 오후 혼자 집회에 대해서 기도했습니다. 그 시간 동안에 저는 저의 많은 개인적인 잘못들과 실패들과 과거의 실수들을 생각했습니다. 그러면서 창피해지기 시작했습니다. 저는 주님께 말했습니다. "주님, 저는 너무 창피해서 주님의 임재 앞에 서 있지도 못할 것 같습니다." 그리고 저는 제가 실수했거나 다른 상황들 속에서 주님의 방향을 놓쳤었던 경우들을 늘어놓기 시작했습니다.

주님의 대답은 저를 깜짝 놀라게 했습니다. 그분의 목소리는 마치 누군가가 저와 같은 방안에 서 있는 것처럼 실제적이었습니다. 저는 누군가가 그곳에 있는지 둘러보기까지 했습니다. 그분은 말씀하셨습니다. "나는 네가 방향을 놓쳤던 것을 안다. 그러나 나는 그 와중에도 너의 심령을 보고 있었다. 나는 겉사람을 보고 있지 않았다." 그때 주님께서 제게 사무엘상 16장 7절을 보여주셨습니다. 그분은 계속해서 말씀하셨습니다. "네가 실수를 하였더라도 너의 심령은 항상 나를 향해 올발랐다." 저는 이 말에 축복받았습니다!

그래서 사무엘은 이새의 아들 한 명 한 명을 관찰했고, 하나님께서는 계속 "아니다, 이 사람이 아니다."라고 말씀하셨습니다. 저는 사무엘이 이쯤에 그가 이새의 집으로 간 것이 하나님의 뜻을 놓친 것은 아니었는지 생각하는 모습이 상상됩니다. 그래서 그는 이새에게 물었습니다. "네 아들들이 다 여기 있느냐?"

어떤 사람들은 선지자들이 모든 것을 다 안다고 생각합니다. 그러나 그렇지 않습니다. 사역자인 우리들도 모든 것을 알고 있지 않습니다. 우리가 아는 전부는 하나님께서 우리에게 말씀하신 것 뿐입니다. 하나님께서는 예배 중에 자주 기도받고자 하는 사람이 있다고 말씀하셨습니다. 주님께서는 제게 그 사람이 누구인지도 몇 번 알려주셨습니다. 그러나 그것은 예외이지 규칙이 아닙니다. 사무엘은 오직 하나님께서 그에게 말씀하신 것만 알고 있었습니다. 이새의 아들들 중 한 명이 이스라엘의 다음 왕이 될 것이라고만 말씀해 주셨던 것입니다.

하나님께서는 왜 우리에게 전부를 가르쳐주지 않으실까요? 왜냐하면 그분께서 우리의 상황에 관한 모든 것을 우리에게 가르쳐주셨다면 우리는 믿음으로 걷지 않고 보는 것으로 걷게 될 것입니다. 그리고 우리가 믿음으로 걷고 있지 않다면 우리는 그분을 기쁘시게 할 수 없습니다(히 11:6). 이것이 하나님께서 사무엘에게 처음부터 이새의 아들들 중 누구를 왕으로 기름 부으라고 가르쳐주지 않으셨던 이유입니다.

파머스빌에 있던 우리 교회에서 피아노 반주를 하던 자매가 왼쪽 허파에서 남자의 주먹만한 종양이 있는 것을 발견하였습니다. 그녀는 우리에게 기도해 달라고 하지도 않았고 치유 줄에 서지도 않았습니다. 그러나 어느 주일날 예배를 마치면서 주님께서 제게 말씀하셨습니다. "네가 오늘 떠나기 전에 내가 치유하고 싶은 여자가 여기 있다."

만약에 제가 망설였다면, 저는 이렇게 생각했을 것입니다. '만약에 어떤 여자가 치유되기를 하나님께서 원하신다면 그분께서 그 사람이 누구인지도 아시겠지?' 그랬다면 저는 곧바로 예배를 떠났고 하나님을 놓쳤을 것입니다. 그리고 사랑하는 이 자매는 그녀의 치유를 받지 못했을 것입니다.

제가 생각할 시간이 있기도 전에 저는 말했습니다. "주님께서 오늘 아침 여기 이곳에 치유하고 싶어 하시는 여자 분이 계십니다."

한 여인이 청중으로부터 걸어 나와 앞으로 오기 시작했습니다. 제 영 안에서 – 우리는 이것을 잠잠하고 작은 목소리라고 부릅니다 – 저는 들었습니다. "그녀가 아니다." 그래서 저는 여인에게 말했습니다. "자매님, 당신은 하나님께서 말씀하고 계시는 사람이 아닙니다. 그러나 치유는 당신에게 속한 것이니 어서 나오세요. 제가 당신을 위해 기도하고 제 손을 당신 위에 얹겠습니다."

그 때 즈음에 반주자가 걸어 나왔습니다. 성령님께서 제게 말씀하셨습니다. "바로 그녀다." 그래서 저는 그녀에게 손을 얹고 기도했습니다.

그 주 화요일에 그녀는 병원으로 돌아가 치료를 받았습니다. 엑스레이를 몇 번 찍은 다음 의사들이 그녀에게 와서 그녀의 종양이 완전히 사라졌다고 말했습니다! 하나님께서는 당신이 믿음으로 걷기를 원하십니다. 그분은 한 번에 한 걸음씩 우리를 인도하실 것이고 각 발걸음은 믿음이 필요합니다. 가끔 우리는 하나님께서 가장 최근에 인도하신 단계에 근거해서 어떠한 방향으로 가길 원하신다고 생각합니다. 그러나 사실 그 단계는 우리가 다른 방향으로 가게 하시려고 주님께서 인도하고 계신 것이었습니다. 목사들과 전도자들과 평신도들, 우리는 모두 이 원리를 이해해야 합니다.

하나님이 어떻게 우리를 털사로 인도하셨는가?

[이 책의 11장에서 해긴 목사님은 주님이 그에게 사무소를 오클라호마주 털사로 옮기라고 하신 것에 관해 말씀하십니다. 여기에서 해긴 목사님은 그 이사에 관한 구체적인 내용을 나누십니다. – 편집자주]

주님께서 우리 사무소를 털사로 옮기기 원하신다고 제게 말씀하셨고 우리에게 T.L. 오스본 목사님의 전 사무소 건물을 주실 것이라고 말씀하셨습니다. 나중에 하나님은 해가 뜨는 아침에 저를 깨우셔서 털사에 있는 어떤 사업가를 만나라고 말씀하셨습니다. 저는 이 남자가 돈을 가지고 있는 것은 알고 있었지만 그에게 돈을 달라고 할 생각은 전혀 없었습니다. 저는 개인적으로 누구에게도 돈을 달라고 한 적이 없었고 앞으로 그렇게 할 생각도 없었습니다.

그래서 오레타와 저는 사업적인 일로 오클라호마주로 운전해 갔습니다. 우리가 그곳에 있는 동안 저는 그 사업가에게 전화를 했고 우리는 그와 그의 아내와 함께 털사에서 저녁식사를 하기로 약속했습니다. 그래서 우리는 그들을 만났고 저녁을 먹었습니다. 저는 털사로 이사 오는 것에 관한 내용이나 하나님께서 오스본 형제의 건물에 관해서 말씀하신 내용에 대해서는 절대로 말하지 않았습니다.

우리가 이 부부와 레스토랑을 떠날 때 오랜 친구인 또 다른 부부와 만났습니다. (그들은 나중에 우리 이사회의 일원이 되었습니다.) 그들도 똑같은 레스토랑에 저녁을 먹으려고 차를 타고 왔던 것입니다. 그들은 우리와 저녁식사를 함께 한 다른 부부와 인사를 나누고 그 부부는 차를 타고 떠났습니다. 그곳에 막 도착한 부부는 저녁식사를 함께 하자고 우리를 초대했습니다. 우리는 감사하지만 저녁을 지금 막 먹었다고 말했습니다.

"그럼 들어와서 차 한 잔이라도 하고 가세요." 그 부부가 말했습니다. 그래서 우리는 그들과 함께 레스토랑으로 다시 들어갔습니다.

우리가 얘기를 나누는 동안 저는 (거의 농담하듯) 우리가 털사에 있는 T.L. 오스본의 전 사무실로 이사할 것 같다고 말했습니다. 그 남자는 그의 아내와 짧게 대화를 하고는 그의 가계수표checkbook를 꺼내고 우리가 이사하는 것을 도와주려고 천불짜리 수표를 제게 건냈습니다.

"오, 아닙니다, 아닙니다." 저는 말했습니다. "우리는 그저 이것에 대해서 생각해보고 있을 뿐입니다. 우린 이사를 안 할지도 모릅니다."

그 남자는 말했습니다. "받으십시오. 하나님께서 당신에게 돈을 주라고 우리에게 말씀하시고 계셨습니다. 당신이 원하는 것에 쓰십시오."

"그렇다면 … 받겠습니다. 감사합니다."

우리가 털사를 떠나기 전에 우리는 몇 가지 물건을 사기 위해 어떤 가게에 들어갔습니다. 우리가 그곳에 있는 동안 우리는 순복음 실업인회를 통해 만난 한 남자 분을 보았습니다. 저는 또 다시 우리가 털사로 이사 올 수도 있다고 지나가듯이 말했습니다.

그는 말했습니다. "우리는 당신이 이사할 수 있도록 천불을 드리겠습니다."

저는 제가 아는 또 다른 남자에게 전화를 걸어야 했고 그에게 오스본 형제의 건물에 대해서 언급했습니다. 그는 말했습니다. "나도 천불을 기부하겠습니다."

우리가 지내던 집에 도착해서 그 부부에게 무슨 일이 일어나고 있는지 나눴을 때 그 남편이 말했습니다. "저도 천불을 기부하겠습니다."

며칠 후 우리는 두 명의 사업가들과 이사와 사람들이 기부해 준 재정에 대해서 얘기를 나눴습니다. 그들은 각자 말했습니다. "저도 천불을 기부하겠습니다."

제가 깨닫기도 전에 저는 털사로 이사 오기 위해 필요한 7천 불을 제 손에 갖고 있거나 약속받았습니다. 하나님께서 돈을 모으셨습니다. 세상에서 가장 쉬운 일이었습니다.

여기서 제가 하고 싶은 말은, 제가 털사로 가지 않고 하나님께서 제게 만나라고 한 그 남자와 만나지 않았다면 - 그 당시에는 우리에게 돈을 주지 않았던 사람이었습니다 - 저는 우리에게 돈을 주었던 그 두 번째 부부와 만나지 못했을 것입니다.

많은 경우 하나님께서 우리를 인도하실 때 상황은 우리가 생각했던 대로 진행되지 않습니다. 그러나 우리는 하나님께서 우리를 한 걸음 한 걸음 인도하시도록 내어드리고 믿음으로 걸어야 합니다.

되돌아가는 것을 부끄러워하지 마십시오

1951년도에 저는 오클라호마의 오순절 교단을 위한 지역 모임에서 설교를 하고 있었습니다. 어떤 회의가 끝나고 주님께서 제게 어떤 사업가를 앞으로 불러 안수해주라고 하셨고 그렇게 하면 그를 성령으로 충만하게 하실 것이라고 말씀하셨습니다. 저는 이 남자를 알고 있었습니다. 그는 공동체에서 잘 알려져 있지만 순복음 교단의 사람이 아니었습니다. 그는 나사렛 교회의 일원이었습니다.

그 남자가 잘 알려져 있었기 때문에 저는 그 사람의 이름을 부르고 싶지 않았습니다. 그래서 저는 말했습니다. "이곳에 성령으로 충만 받기 원하시는 분이 계시다면 앞으로 나오십시오. 그러면 제가 안수를 해드리고 그 사람은 성령으로 충만해질 것입니다."

두 세 사람이 앞으로 나왔지만 그 사업가는 나오지 않았습니다. 저는 강단에서 내려와 반응한 사람들에게 안수하였습니다. 그러나 마치 문의 손잡이에 안수하는 것 같았습니다. 아무 일도 일어나지 않았습니다. 제가 하나님의 뜻을 놓쳤기 때문에 그들은 영적으로 아무것도 받지 못했습니다. 하나님께서는 제게 모든 사람들을 앞으로 불러내라고 하지 않으셨습니다. 하나님께서는 제게 특정한 사람에게 안수하라고 말씀하셨던 것입니다.

그래서 저는 원상태로 돌이켰습니다. 저는 강단으로 돌아가 사람들에게 말했습니다. "여러분, 제가 하나님의 뜻을 놓쳤습니다. 저를 용서해주십시오." 그리고 나서 저는 그 남자를 앞으로 불러냈고 제가 그에게 손을 얹기도 전에 그는 두 손을 번쩍 들고 방언으로 말하기 시작하였습니다!

우리 사역자들은 우리가 하나님의 뜻을 놓쳤다는 것을 인정하기를 두려워합니다. 그래서 돌이켜 잘못을 고치고 앞으로 나아가는 대신에 계속해서 잘못된 길을 따라갑니다. 당신이 사역을 하면서 기름부음을 잃었다는 느낌이 든다면 되돌아가서 자신을 교정하는 것을 두려워하지 마십시오!

영적 은사들의 기능에 관해 성령인도 받기

저녁 예배를 위해 기도할 때 주님은 자주 설교의 구체적인 방향을 제게 알려주시지 않습니다. 그분은 제게 말씀하셨습니다. "설교를 만들려고 시간을 보내지 마라. 그저 나를 기다려라. 예배에 필요한 것이 무엇이든지 내가 너의 영안에서 그것을 꺼내겠다." 저는 컴퓨터 안에 정보를 넣는 것처럼 제가 사역하는 수년 동안 제 영안에 말씀을 넣었습니다. 그래서 제 안에 주님께서 끌어낼 수 있는 무언가가 있는 것입니다. 그렇기 때문에 많은 경우 저는 찬양단이 찬양과 경배를 끝내기 전까지는 예배의 방향이 어디로 가고 있는지 모릅니다.

저는 당신과 똑같은 인간이기 때문에 주님께서 예배에서 무엇을 하기 원하시는지 미리 알기를 원합니다. 많은 경우에 주님은 제게 알려주시지 않습니다. 그러나 성령님께서 내 안에 살아 계시고 저는 그분께서 특정한 예배에 필요한 것을 제게 주실 것을 믿습니다.

이와 관련 있는 다음 성경구절을 함께 보기를 원합니다.

> 너희는 너희가 하나님의 성전인 것과 하나님의 성령이 너희 안에 계시는 것을 알지 못하느냐 고전 3:16

우리는 하나님의 성령이 우리 각 사람 안에 거하신다는 것을 강조하였습니다. 이것은 성경적인 것입니다. 그러나 우리는 하나님의 성령이 우리 안에, 지역 교회 안에, 집회에서, 그리고 그리스도의 몸 전체에 종합적으로 거하신다는 진리도 온전히 이해해야 할 필요가 있습니다. 하나님의 성령은 각 신자 안에 거하시며 그리스도의 몸 된 신자들의 공동체 안에 거하십니다.

솔로몬은 구약에서 하나님을 위해 물질적인 성전을 지었습니다. 오늘날 우리가 바로 하나님의 성령이 거하시는 영적 처소입니다. 우리가 영적 존재이고 하나님의 집이기 때문에 우리는 영적 은사들이 필요합니다.

순회사역 초기에 제가 교회들을 순회하면서 발견한 것은 어떤 교회에서는 다른 교회에서보다 제가 영적 은사들 안에서 더 기능할 수 있었다는 것입니다. 어떤 교회에서는 제가 예언을 하거나 지식의 말씀을 받았습니다. 다른 교회에서는 고린도전서 12장에 언급되는 아홉 가지 성령의 은사와 나타남들 중에 일곱 가지가 증거 되었습니다. 그러나 그 외의 교회에서는 가르치는 것 외에는 아무것도 하지 않았습니다.

결국 저는 주님께 물었습니다. "왜 이렇습니까?"

하나님께서 제게 고린도전서 14장 1절을 보여주셨습니다. 바울이 고린도 교회에게 "영적인 은사들을 갈망하라"고 하는 부분입니다. 하나님께서 이 서신은 개인 한 사람을 위해 쓰여진 것이 아니라고 제게 말씀하셨습니다. 이 서신은 사람들로 이루어진 공동체 전체를 위해 쓰여진 것입니다. 바울은 그리스도의 몸 된 고린도 교회 전체에게 영적 은사들을 갈망하라고 말하고 있습니다. 그리고 그들이 이 은사들을 갈망한다면 성령님께서 그 은사들을 성도 개개인에게 그의 뜻대로 주시는 것입니다.

영적 은사들이 교회 안에 역사하기 위해서는 먼저 영적 은사들을 믿어야 하고, 그 다음에는 그 은사들을 갈망해야 한다고 하나님께서 제게 말씀하셨습니다! (우리는 여기서 히브리서 11장 6절의 진리를 또 보게 됩니다. 믿음이 없이는 하나님을 기쁘시게 할 수 없습니다.)

사람들은 영적 은사들에 대해서 더 알아야 합니다. 하나님의 말씀이 영적 은사들에 관해서 무엇이라고 말하는지 보게 된다면 그들은 영적 은사들을 믿을 것이고, 그 은사들의 유익을 받고 그들의 삶 속에 기능하도록 할 수 있습니다.

성령님의 인도

사람들은 제가 어떤 개인에게 사역하기 위해서 성령님의 인도를 받았다고 할 때 무엇을 의미하는지 묻습니다. 제가 설명할 수 있는 최고의 방법은 이것입니다. 당신의 몸이 아닌 당신의 영에 줄이 묶여있다고 상상해 보십시오. 그 줄이 어떤 특정한 방향으로 당신을 당기고 있다고 상상해 보십시오. 사역을 하는 동안 당신은 어떤 "줄"이 당신을 어떤 사람에게로 당기고 있다는 것을 느끼게 될 것입니다.

저는 이런 일을 여러 번 경험했습니다. 제가 그 사람에게 이르렀을 때 저는 그들에게 손을 얹습니다. 그 사람에 대해서 구체적인 정보나 그들의 환경에 관해서 아는 것이 없더라도 그들에게 손을 얹는 순간 저는 문제가 무엇인지 정확히 압니다.

하나님의 성령이 저를 인도하시는 또 다른 방법은 제게 "작은 환상"을 주시는 것입니다. 가끔 예배 전이나 사역을 하기 직전에 제 영안에서 저는 제 자신이 어떤 특정한 사람에게 안수하는 장면이나 어떤 상황을 위해 기도하는 것을 보게 됩니다. 예배 중에 때가 되면 저는 제가 그 환상 속에서 했던 그대로 합니다.

예수님께서도 비슷한 방법으로 기능하셨습니다.

> 그러므로 예수께서 그들에게 이르시되 내가 진실로 진실로 너희에게 이르노니 아들이 아버지께서 하시는 일을 보지 않고는 아무 것도 스스로 할 수 없나니 아버지께서 행하시는 그것을 아들도 그와 같이 행하느니라 요 5:19

지역 교회의 역할

교회(그의 몸)의 머리되신 예수님께서 그의 자연적인 몸으로 한 똑같은 일을 그의 영적 몸을 통해서도 하시고 싶어 하십니다. 그렇기 때문에 예수님은 당신이 필요하십니다.

사도 바울이 말했습니다. "너희는 그리스도의 몸이요 지체의 각 부분이라"(고전 12:27). 그리스도께서 머리이십니다. 우리는 몸입니다. 이것은 종합적인 교회에 대해서 말하고 있는 것입니다. 모든 거듭난 신자들은 그 몸의 지체입니다. 그러나 어떤 지역의 신자들이 서로 만나 한 공동체를 이루면 그들이 그리스도의 몸이 됩니다. 그들은 하나님의 전이며 하나님의 성소가 되었습니다.

고린도전서 3장을 확대 번역으로 보십시오:

> 여러분은 자신들이 [고린도의 교회 전체가] 하나님의 전(그의 성전)인 것과 하나님의 성령이 여러분 안에 영원히 거하고 계신 것을 [종합적인 교회로서 그리고 개인으로서 여러분을 집으로 삼으시고 계신 것을] 분별하고 이해하지 못합니까?
>
> 고전 3:16 (확대 번역)

우리 개개인이 성령님의 전입니다. 그러나 우리가 지역적으로 모일 때 우리는 종합적으로 그 모임을 위해 하나님의 전이 됩니다. 너무나도 자주 모든 눈들이 그 예배의 설교자를 보고 있습니다. 그러나 신자들이 공동체 안에서 동의할 때 위대한 능력이 있습니다.

우리는 많은 사람들이 휠체어로부터 해방되는 것을 보았습니다. 하루 저녁에 3명이 해방되었습니다. 아무도 그들에게 손을 얹지 않았지만 하나님의 영광이 그곳에 임재하셨습니다. 그들은 뛰어올라 걷기 시작했습니다. 어떤 사람들은 말했습니다. "오, 나도 그들이 가지고 있는 것을 더 가지고 싶어." 만약에 성도들이 사역자와 영적으로 연결된다면 그렇게 될 수 있습니다. 성도들의 의심과 불신앙은 성령님이 하시는 일을 훼방할 수도 있습니다. 예수님께서 이런 일을 마가복음 6장에서 만나셨습니다.

예수께서 거기를 떠나사 고향으로 가시니 제자들도 따르니라 안식일이 되어 회당에서 가르치시니 많은 사람이 듣고 놀라 이르되 이 사람이 어디서 이런 것을 얻었느냐 이 사람의 받은 지혜와 그 손으로 이루어지는 이런 권능이 어찌됨이냐 이 사람이 마리아의 아들 목수가 아니냐 야고보와 요셉과 유다와 시몬의 형제가 아니냐 그 누이들이 우리와 함께 여기 있지 아니하냐 하고 예수를 배척한지라 예수께서 저희에게 이르시되 선지자가 자기 고향과 자기 친척과 자기 집 외에서는 존경을 받지 못함이 없느니라 하시며 거기서는 아무 권능도 행하실 수 없어 다만 소수의 병자에게 안수하여 고치실 뿐이었고 저희의 믿지 않음을 이상히 여기셨더라 막 6:1-6

사람들이 믿지 않았기 때문에 예수님께서는 그의 고향에서 어떤 권능도 행하실 수 없으셨습니다. 그래서 예수님은 어떻게 하셨습니까? 우리 사역자들이 마땅히 해야 하는 일입니다. 바로 그들을 가르치셨습니다. 성령님의 기능에 대해서 사람들의 이해가 증가할수록 그들이 은사들의 역사를 믿을 수 있는 능력이 증가하고 그와 함께 그들이 받을 수 있는 능력도 증가합니다. 그 어떤 목사나 사역자나 전도자나 선지자도 성도들이 허락하는 것 이상으로 행할 수 없습니다.

제가 오클라호마에서 사역을 했을 때 72세 된 나이든 여자분께서 4년 동안 휠체어에 앉아 살다가 그 예배의 치유시간에 앞으로 나왔습니다. 오클라호마주 최고의 의사 세 명이 그녀를 진찰했고 그녀가 다시는 걸을 수 없을 것이라고 말했습니다. 제가 그녀에게 손을 얹기도 전에 그녀가 큰 소리로 울기 시작했습니다.

"자매님, 잠시 만요." 저는 말했습니다. "당신을 위한 하나님의 말씀을 받았습니다." 성령님께서 제게 그렇게 말하도록 감동시키셨습니다. 그러나 그녀는 계속해서 목청껏 울어댔습니다. 제가 그녀를 조용히 시키려고 할 때마다 그녀는 계속 더 크게 목청껏 소리 질렀습니다. 그녀는 마치 기차가 터널을 지나가는 것 같은 소리를 냈습니다. 결국 저는 그 자매님 앞에 정면으로 서서 외쳤습니다. “예수의 이름으로 내가 명령한다! 입 다물어라!” 그녀가 드디어 진정하기 시작했습니다. 왜 제가 72세 된 나이든 여자 분에게 그렇게 했냐고요? 그녀의 주목을 끌기 위해서는 그녀보다 더 큰 소리로 말해야 했습니다. 그녀가 소리 지르는 동안 저는 하나님께서 그녀를 위해 무엇을 말씀하시고 싶어 하시는지 들을 수가 없었습니다.

성도들은 제가 그때 무엇을 하고 있는지 이해하지 못했습니다. 그들은 제가 여자 분에게 무례하게 행동하고 있었다고 생각했습니다. 그래서 그들은 영적으로 저와의 연결고리를 끊었습니다. 성도들이 브레이크를 밟았기 때문에 저는 그 여자 분에게 사역을 할 수가 없었습니다.

그래서 저는 멈추고 몇 분 동안 성도들에게 제가 방금 무엇을 하였는지 가르쳤습니다. 그들 중 많은 사람들이 이해를 했고 그들의 영적 발들을 브레이크에서 떼어놓았습니다. 저는 이것을 제 영안에서 느낄 수 있었습니다. 그리고 예배는 앞으로 전진했습니다. 10분도 채 안 되어서 의사들이 다시는 걸을 수 없다고 판정했던 그 여자 분이 완전히 치유되어 온 교회 앞에서 팔짝팔짝 뛰어다니기 시작했습니다! 그러나 만약에 제가 회중 가운데 충분한 사람들이 저와 동의하도록 하지 못했다면 저는 절대로 그녀에게 사역할 수 없었을 것입니다.

제가 전국을 다니며 치유집회를 할 때 저는 60%이상의 사람들이 치유되는 것을 보았습니다. 가끔은 10명 중에 9명이 치유되는 것도 보았습니다. 그러나 어떤 집회에서는 치유받은 사람들이 10%도 안 된다는 것을 알았습니다.

저는 하나님께 이 문제를 가지고 갔습니다. 저는 이틀 동안 금식하고 기도하였습니다. 그리고 주님께 제가 무엇을 놓치고 있는지 물었습니다. 주님께서 말씀하셨습니다. "네가 문제가 아니다. 회중 가운데 불신앙이 너무 많다. 그곳에서는 그 누구도 치유받는 것을 보지 못할 것이다." 그리고 주님께서 누군가에게 치유사역을 하시기 전에 그들의 환경을 바꿔야 했던 경우들을 저에게 상기시켜 주셨습니다. 한 경우는 마가복음 7장에 있었습니다.

> 사람들이 귀 먹고 말 더듬는 자를 데리고 예수께 나아와 안수하여 주시기를 간구하거늘 예수께서 그 사람을 따로 데리고 무리를 떠나사 손가락을 그의 양 귀에 넣고 침을 뱉어 그의 혀에 손을 대시며 하늘을 우러러 탄식하시며 그에게 이르시되 에바다 하시니 이는 열리라는 뜻이라 그의 귀가 열리고 혀가 맺힌 것이 곧 풀려 말이 분명하여졌더라 막 7:32-35

주님께서 제게 물으셨습니다. "내가 왜 그를 무리로부터 떠나게 했다고 생각하느냐?"

"잘 모르겠습니다." 저는 말했습니다. "저는 그것이 항상 궁금했습니다."

주님께서 말씀하셨습니다. "나는 그 무리 가운데서 그를 치유할 수 없었다. 그곳에는 불신앙이 너무 많았다."

당신이 브레이크를 밟을 수 있는 지역 교회가 없는 곳에, 예를 들면 선교지에 가 있다면 얘기가 달라집니다. 그러나 대부분의 경우 미국 지역 교회의 성도들은 자신들의 믿음이 아픈 사람을 위해 기도하는 다른 사람들의 성공에 영향을 미칠 만큼은 알고 있습니다. 영적인 은사들에 대해 지속적으로 가르침 받는 교회들 안에서는 하나님께서 저를 인도하시는 대로 사역할 수 있습니다.

사역자들을 위한 주님의 말씀

때는 지금입니다. 그 날이 왔습니다. 당신은 이미 그 끝자락에 와있습니다.

이제 계속해서 걸으십시오. 뒤돌아보지 마십시오. 이에 필요한 헌신을 하십시오.

계속해서 걸으십시오. 하나님의 능력 안에서 걸으십시오. 하나님의 능력 안에서 사역하십시오.

그리고 내가 당신에게 말한 모든 것은 반드시 일어날 것입니다. 주님께서 뜻하신 일이므로 그 중에 아무것도 실패하지 않을 것입니다. 주님께서 이 마지막 날들을 위해 정해 놓으셨습니다.

그리고 지금이 마지막 때이고 특정한 일들이 이루어졌기 때문에 다른 일들도 조만간에 이루어질 것입니다. 자연적인 세계에서도 이루어질 것이고 당신의 삶과 사역 안에서도 이루어질 것입니다.

그리고 마침내 그 일이 이루어질 것이고 당신은 기뻐하고 즐거워할 것입니다.

주님께서 말씀하셨으므로 그 어떤 악한 영도, 마귀도, 사단 자신도, 그리고 인간도 이것을 멈출 수 없을 것입니다. 주님이 움직이고 계시기 때문입니다.

■ T. L. 오스본
• 행동하는 신자들
• 기적 – 하나님 사랑의 증거
• 새롭게 시작하는 기적 인생
• 좋은 인생
• 성경적인 치유
• 능력으로 역사하는 메시지
• 100개의 신유 진리
• 24 기도 원리 7 기도 우선순위
• 하나님의 큰 그림
• 긍정적 욕망의 힘
• 당신은 하나님의 최고의 작품입니다

■ 잔 오스틴
• 믿음의 말씀 고백기도집
• 하나님의 사랑의 흐름
• 견고한 진 무너뜨리기
• 초자연적인 흐름을 따르는 법
• 당신의 운명을 바꿀 수 있습니다
• 어떻게 하나님의 능력을 풀어놓을 수 있는가?

■ 크리스 오야킬로메
• 여기서 머물지 말라
• 이제 당신이 거듭났으니
• 당신의 인생을 재창조하라
• 이 마차에 함께 타라
• 그리스도 안에 있는 당신의 권리
• 성령님과 당신
• 성령님이 당신 안에서 행하실 일곱 가지
• 성령님이 당신을 위해 행하실 일곱 가지
• 기적을 받고 유지하는 법
• 하나님께서 당신을 방문하실 때
• 올바른 방식으로 기도하기
• 당신의 믿음을 역사하게 하는 법
• 끝없이 샘솟는 기쁨
• 기름과 겉옷
• 약속의 땅
• 하나님의 일곱 영
• 예언
• 시온의 문
• 하늘에서 온 치유
• 효과적으로 기도하는 법
• 어떤 질병도 없이
• 주제별 말씀의 실재
• 마음의 능력

■ 앤드류 워맥
• 당신은 이미 가졌습니다
• 은혜와 믿음의 균형 안에 사는 삶
• 하나님의 참 본성
• 하나님은 당신이 건강하기 원하십니다
• 영 · 혼 · 몸
• 전쟁은 끝났습니다
• 믿는 자의 권세
• 새로운 당신과 성령님
• 노력 없이 오는 변화
• 하나님의 충만함 안에 거하는 열쇠
• 더 좋은 기도 방법 한 가지
• 재정의 청지기 직분
• 하나님을 제한하지 마라
• 하나님의 뜻을 발견하고 따라가며 성취하라
• 하나님의 참 본성

■ 기타 「믿음의 말씀」 설교자들
• 성령의 삶 능력의 삶
• 복을 취하는 법
• 주는 자에게 복이 되는 선물
• 믿음으로 사는 삶
• 붉은 줄의 기적
• 당신이 말한 대로 얻게 됩니다
• 예수–치유의 길 건강의 능력
• 성령 안의 내 능력
• 존 G. 레이크의 치유
• 믿음과 고백
• 임재 중심 교회
• 성령충만한 그리스도인의 지침서
• 열정과 끈기
• 제자 만들기
• 어떻게 교회를 배가하는가
• 운명
• 모든 사람을 위한 치유
• 회복된 통치권
• 그렇지 않습니다
• 당신의 자녀를 리더로 훈련하라
• 오순절 운동을 일으킨 하나님의 바람
• 주일 예배를 넘어서
• 신약교회를 찾아서
• 내가 올 때까지

■ 김진호 · 최순애
• 왕과 제사장
• 새로운 피조물의 실재
• 믿음의 반석
• 새 언약의 기도
• 새로운 피조물 고백기도집(한글판/한영대조판)
• 성령 인도
• 복음의 신조
• 존중하는 삶
• 성경의 세 가지 접근
• 말씀 묵상과 고백
• 그리스도의 교리
• 영혼 구원
• 새로운 피조물
• 믿음의 말씀 운동의 뿌리
• 1인 기업가 마인드
• 내 양을 치라
• 새사람을 입으라